打開天窗　敢說亮話

CAREER

天窗出版

動物扮工室

張慧敏 著

職場珍禽異獸

職場移動學問

自序

55歲的我一路走來，簡單概括來說，是「山窮水盡疑無路，柳暗花明又一村」的真人版。

奮鬥，從跌倒開始

COREsearch成立於香港經濟從最蓬勃開始走向下坡之1997年。"It was the worst of times, it was the best of times!"（這是最好的時候，這是最壞的時候！）

在全球經濟衰退蕭條影響之下，香港之就業市場遇上前所未見的萎縮及衝擊。人浮於事，人心惶惶，失業率屢創新高。而作為獵頭公司獵頭人的我，面對突如其來的經濟逆轉，殺得我手足無措，生意一落千丈。開業時意氣風發，躊躇滿志一掃而空，一籌莫展。從中我終能體會到「人無遠慮，必有近憂」此話之真諦，及Don't put all eggs in one basket（不應把所有的蛋放在同一個籃子裏）之道埋。

雖云 It's always the darkest before dawn（在黎明前的一刻是最黑暗的），但等待黎明時的忐忑惶恐心情，進退兩難，著實令我寢食難安，方寸大亂。

有否想過放棄？有！但不敢。非因我不肯言敗，更非面子問題，乃因不能令年紀老邁的雙親為我擔心難過，萬不可辜負兩老對我的栽培及期望；不能出賣朋友及同事們對我的信任及支持；不能為兒女作出一個缺乏毅力、承擔、信念及堅持的失敗者榜樣。

能在逆境中自強不息，挽狂瀾於既倒，扭轉乾坤，渡過難關，重見光明，所倚仗的，就是家人和朋友們對我不離不棄的關愛，及無限量無條件的支援及鼓勵。若論得失，絕對是多得於失。太平坦的路曾使我失去警覺性及缺乏危機意識，一旦遇上困難，便無法應變及招架。

轉機，緣於 Classified Post

正因面對困局，坐困愁城，才迫使我拓展培訓及職業諮詢之業務。亦因而結識了我人生中的其一伯樂，香港南華早報集團 SCMP 旗下之 Classified Post。透過主持他們所舉辦之讀者專題討論會，為讀者及客戶所認識，間接推廣了 COREsearch 的業務及擴闊了發展空間。我更以 Career Doctor 的身份在其網站 www.classifiedpost.com 內為

讀者解答他們在職場上所面對之困難及疑惑等問題。後來Classified Post的網站於新加坡登陸，我亦有機會透過此平台，與彼邦的讀者交流及提供意見。

與此同時，我亦有幸獲邀為中港兩地大學的學生演講及提供培訓，為學生們講解在求職上應注意的事項，及如何在工作上學習及適應，積極準備自己以迎接未來的挑戰。

後來慢慢發展下去，我更在《蘋果日報》寫起專欄，日子有功，在日積月累不計回報地在不同角落和各類職場人士交流解難，我得的很多，也造就了今天更多人認識自己。

蛻變，「做事」與「做人」

現今時代的年青人，大多在溫室之下成長。甚或被過份保護，缺乏創造和想像力，做事也欠毅力、耐性及承擔。廣東俗語有云：「有口話人，無口話自己」。求學時的我，是老師眼中的「天使」與「魔鬼」之混合體！一方面我非常留心好學，是標準的「每事問」，查根究底的咄咄逼人，每每把老師問得啞口無言，無法招架。

可別誤會！我並不是博學多才，只不過是牙尖嘴利，歪理連篇，胡說八道，古靈精怪。可老師們就是喜歡我有膽色，有主見，對我十分包容

(我父母亦然！)，由此造就了我天不怕、地不怕，據理力爭的性格。

在傳統的香港填鴨式教育制度下，有這樣豁達胸襟的老師，可說萬中無一，又偏偏都給我遇上了，真是上天對我的眷顧！否則，我極有可能被打壓標籤成一個驕橫拔扈的破壞王，永無翻身之日。

做「學問」難，做「人」更難。這是老師對心浮氣躁，自以為是的我的教誨。雖然當時我早把這番說話拋諸腦後，還嫌老師迂腐。直到後來人生及事業上遭受嚴峻考驗及挑戰時，我才真正體會到老師當時的一片苦心，他的教誨我至今不敢忘記。現無以為報，只希望薪火相傳，把老師所教的做人處世道理發揚光大，對社會有所貢獻。

"What doesn't kill me, makes me stronger!" 一直是我的人生座右銘。

Everything happens for a reason, 我們的相遇不會是偶遇咁簡單，希望這本書，我的經歷，作明燈為大家指路，各位在職海中浮沉掙扎的打工仔，小心睇路。知己知彼，要贏人先要贏自己，在扮工室動物園中，找到適合自己生存的環境空間，如魚得水，豈不快哉？

最後，謹以此書，獻給我的母親。作為我的天字第一號粉絲兼忠實擁躉，很想和身在西方極樂的您，分享我的成果和喜悅！

第1章

做隻出色「千里馬」

有千里馬還需要有伯樂，究竟是有伯樂先還是有千里馬先？為了自己潛質極限能夠得以發揮，亦有需要被鞭策，不過講到底，無論如何悉心栽培、被睇高一線、有幾好潛質也好，始終要願意跑，只能靠自己四隻腳跑。

否則即使是隻被伯樂相中的馬王又如何？明明得天獨厚、明明無出其右、明明勝券在握，臨陣發脾氣不肯服從指令不肯跑，結果會點？

馬仔可唔可以揀騎師？事實證明，換埋練馬師都仲得！不過首先要跑出亮麗成績贏了幾場賽事，證明自己確實是隻超班馬才有資格被得寵。

更重要的事身為馬仔要知所進退、收放有道，見好就要識收，恃寵生嬌要老闆練馬師、騎師，馬房上下人等個個買你怕就晒你。場場國際賽都跑第一，為老闆爭光有面子當然忍你。萬一有所閃失、馬有失蹄，周身牙齒印，眾志成城望你快啲死。一沉，何止百踩？

群居

馬是群居動物,在野外生活,大家需要彼此照應,這樣馬才能有安全感。再強的馬,都需要同伴。

應用到職場之上,要做隻出色的馬仔,絕對不是追求自我感覺良好。單打獨鬥的馬仔,不會生存得來。別天真的以為,自己能力好就足夠;別以為人緣不佳,還是可以在辦公室繼續生存;更別以為「好打得」就是一個好員工。單人匹馬單打獨鬥問你可以幾好打?

講究 Team Spirit

我們處身的是事事講究team work team spirit的年代,而且無論甚麼時候,「做事容易做人難」是不易的硬道理。做事做得好是有其難度,但只要有恆心,始終難不到有心人,但學做人就是另一回事。

有些人想學做人,但不知從何入手;有些人則還未醒覺自己需要學

做人；有些則堅持自己沒錯，有錯都是其他人的錯；有的認為自己「好打得」就可以，公司上上下下喜不喜歡自己也完全無視，自我感覺良好以為自己是公司不可或缺的員工。

你離得開職場這個大環境嗎？你的扮工室只有你一個人嗎？如果不是，憑甚麼覺得不用理會朝見口晚見面的牛豬龍蛇呢？以為能獨霸草原的馬仔，只會「死咗都唔知咩事。」學做人從來都是一門大學問，是所有想成功的人的必修課。

犯眾憎　無運行

俗語有說：「多個朋友好過多個敵人。」一位員工無論能力多好、職級多高，要是犯眾憎，能夠會有好下場嗎？看看那位曾經自言地位超然的689，到最後還不是「被選擇」回家做他的好爸爸好丈夫？

言歸正傳，職場行走，明槍暗箭，危機四伏，人緣好都難獨善其身，何況人緣差？四圍點火頭，周身牙齒印，共同敵人眾矢之的，眾望所歸無得留低，是常識吧？得罪人多稱呼人少，得罪上司老闆無運行是必然；得罪以為得罪得起的下屬，不怕一萬只怕萬一，風

水輪流轉，被得罪的人有上位或者出頭的一日，怎會不會有冤報冤，有仇報仇？

其實簡單一點來講，員工自己覺得自己能力好，不代表上司老闆的看法和立場。最後被炒的死因，可能不是人緣差如此表面，是死在自以為是，其實根本辦事不力。

識做人 ≠ 擦鞋

那麼「擦鞋」是否識做人的一種呢？

當然不是！是兩碼子的事，完全不一樣！不過實在太多人混淆誤會了。講起來，有禮貌和做狗賊之間的分別，很多人都分不清楚，結果「撞板多過食飯」事小；變得憤世嫉俗，和所有人過不去誤人誤己事大。

擦鞋，是不是自貶身價不由得我們話事，但肯定是為了討好比自己地位或財富都高的人，誇張失實是一定的；言不由衷是肯定的；肉麻當有趣是必定的。不過講到最難得的，是千穿萬穿，馬屁不穿，擦鞋者擦得眉飛色舞，被擦者全盤受落樂不可支。聞者嘔心見者眼冤，不過擦鞋仔往

往最得，打工仔為份工，敢怒不敢言者眾，但背後不是鄙視就是恨得牙癢癢。

擦鞋，是一種生存技倆，不過即使擦得如何高明令被擦者如沐春風，終究離不開一個「假」字！

懂鑒貌辨色

個個都識講：識做事不如識做人，又有幾多人真正知道甚麼為之識做人？識做人，是不會隨便得罪人。做不了朋友都不必成為敵人。識做人的人，除了是個EQ高手，交際手腕亦必定高明。不過和擦鞋仔有一相同特點，就是最會鑒貌辨色，看人眉頭眼額。但兩者的差異，在於一個從中為自己搵着數，另一個會體諒體貼，會易地而處為對方着想搵下台階。識做人的人，可以是一個真正有修養吃得開看得開的人，亦可以是一個城府很深的人。正所謂銀幣也有兩面，如何做 個識做人的好人，還是要看閣下的修養修為智慧和造化。

馬仔始終難以離群獨處，天性馴良更需要觀察周圍，做好本份之餘，也最好不要周圍樹敵。天下間大抵沒有比做人更難的事！

1.2. 露出馬腳

馬仔雖然有近360度視面，但近尾巴的部分始終是視覺的盲點，時刻保持警覺，看清身邊的人是十分重要的，我稱之為「讀人」。

從來識人好過識字，不是大家以為的識多幾個人，好過讀多幾年書這麼直接的意思。更甚的是大家要帶眼識人，識讀人比識讀書更重要，即是你能夠看穿對方到底是個怎樣的人，好盤算應對之策。

君子慎其獨，要知一個人的質素為人，觀察他如何對待階層地位比自己低的人的態度，可知一二。路遙知馬力，日子一久，終會露出馬腳見人心。

說起識讀人，先跟大家說個三隻豬仔的故事。

豬仔衰心軟

滂沱大雨河水泛濫，豬仔正要游水過河回家之際，同樣住在對岸的蠍子先生突然衝出來求救，原來蠍子太太生了小孩，他很心急不知道他們是否安全，希望豬仔做好心帶着他一起過河。

見蠍子先生急如熱鍋上的螞蟻，豬仔心中很不忍，但蠍子先生尾巴有劇毒，萬一被刺中定一命嗚呼，所以實在不敢冒險。知道豬仔的顧慮，蠍子先生答應會把尾巴咬實，無論如何不會鬆口，以一家人的性命擔保絕不做出傷害豬仔的事。豬仔心軟應承，背着蠍子先生過河。

好不容易游到對岸，還未站穩突然覺得背上一陣刺痛，回頭一看，原來比蠍子先生的尾巴叮了一口！出於好心幫了蠍子先生一個大忙，結果被反咬性命不保，豬仔痛極質問蠍子先生究竟為什麼如此歹毒出爾反爾恩將仇報？

沒料蠍子先生大呼無辜！他絕對沒有傷害豬仔的意思，只因他是蠍子，本能反應根本控制不了，一鬆口就往豬仔背上叮！豬仔就此一命嗚呼！

蠍子本性難移

隔了一段時間又到了雨季，又有豬仔要游水過河的時候，又見蠍子先生的出現，有事想豬仔帶他一起過河。知道上一次豬仔幫完蠍子先生是如何死的，見過鬼還不怕黑？但經不起蠍子先生聲淚俱下死纏爛打，豬仔心一軟，說他可以幫忙，條件是蠍子先生先折斷有毒的尾巴。

突然，腳上一陣劇痛，原來是蠍子先生盛怒之下幹的好事！

豬仔不明蠍子先生為什麼要下此毒手？蠍子先生破口大罵一切是豬仔不但見死不救，還要他自斷保命的毒尾，心腸歹毒咎由自取！

說時遲那時快又到了雨季，又有豬仔要過河回家的時候，蠍子先生又出現，豬仔如何是好？

你要做心軟的豬仔嗎？

有好多人在職場上，你覺得他是壞人嗎？他自己也不懂分自己是好是壞，那個人天性就是會害人，只是如果你作為豬仔，你要如何生存？

我們可能都好容易做了心軟豬仔的角色，人家有事要你幫忙，你不好意思不幫，覺得過意不去，豈料幫人後被恩將仇報，甚至自己弄得「一身蟻」。

蠍子會害人的動物本能是不會改的，那麼作為豬仔的你，眼見已經有人中伏，而你還不懂「學精」，就很容易出事。

幫人與否要自己衡量，職場上需要識得相人，否則被人狠下毒手後知後覺已經太遲。

聽其言行知其人

我素來以睇人快、狠、準見稱，有好友說我勁過蘇民峰麥玲玲，因為單憑一雙慧眼，無需八字時辰，全部批中！

是咁的！之所以睇得準，除了因為睇得多，最主要是靠洞察力。正確來說，不是我看得準，是聽其言觀其行，其人以他的所作所為，為我提供答案，用行動用結果證明證實他究竟是個怎麼樣的人。

舉一個大家都容易明的例子。一個不斷見異思遷見一個愛一個，拋妻棄子不負責任的男人，會靠得住嗎？甜言蜜語哄說你是他的最後一個嗎？你會相信？我不會！我即下斷言批這段關係不會長久，除了必定講中，還有其他可能嗎？

只是太多人為了一時之快為了填補一時的空虛寂寞，甘心情願被蒙蔽欺騙，還要不斷找理由作藉口自我陶醉麻醉，自欺欺人的結果，欺得了自己，欺不了任何人。

馬仔聽力靈敏過人，視面廣闊，與其做隻蠢豬衰在蠍子手上，不如好好讀人觀人，不要再中計。

動物份工室

1.3 馴

馬都分好多種，有的善良、有的好勇、有的膽怯，但無論你屬於哪一種，去到職場，不多不少總有些競爭心態，賽馬都是利用馬這樣的天性。

管好第一印象

好競爭、鬥上位，我不能話你錯，但太心急脫穎而出，好容易馬失前蹄。君不知搞好自己在辦公室的第一印象是十分重要的嗎？再叻的人，如果給上司、給同事，給清潔嬸嬸的第一印象是不可一世，自以為是，之後要改變不是絕對不行，但至少要花費很多功夫及心力時間糾正，划算與否就要想清楚。

職場生存之道，講到底無非搞關係。

對內，要和公司上下搞關係；對外，要和合作夥伴客戶搞關係。首

要當然是搞好和上司老闆的關係，同時亦不能忽略和同事下屬的關係。IQ高不如EQ高，識做人，比識做事，更為重要！都不知道「識時務者為俊傑」這一句，是甚麼時候開始成為貶義詞的？識做人就必定是虛偽的人？

尤其初出茅廬年青人，或者初來乍到新入職，不管職級職位，給人的第一印象最重要。要是「頭」開得好，日後的路自然容易行。反之，一開始就玩高傲玩性格，搞到周身牙齒印，肯定荊棘滿途沒運行。

偏偏很多人──特別聲明與年齡性別無關，食古不化死牛一邊頸，堅持己見我行我素，認為妥協就輸了，結果「撞板多過食飯」是必然。

保持客氣

初到貴境的新人，第一當然是記住伸手不打笑臉人，不管對方是什麼職級什麼人，幾時都要保持禮貌客氣謙虛。

第二當然就是要積極主動，一眼關七話頭醒尾，最緊要有頭有尾有交帶。

管住把口

最後，除了管住自己個心，不要三心兩意，集中火力焦點把工作做好，記住還要管住自己把口，不管人家講是講非還是說三道四都不必深究，唔知頭唔知路，更加不可以插嘴加把口講埋一份，多管閑事的下場，係死幾多次都唔夠！

以下就是一個多管閒事的真實例子，是我的讀者給我的來信：

「我是職場新丁，出來工作4年，在一家公司工作了3 年，剛申請調配到了新的部門，人工加工作量都多，要重新適應。工作經驗尚淺的我，很多時候比較缺乏信心，對身邊的人和事都相當敏感，經常向同事問東問西。例如會問老細咁夜先走？咦佢同咩人開會？開成點？最近有同事話雖然知我認真努力應付手上的工作，但對於老細幾點走，幾點返，老細頭先開會講乜，有乜會開，同邊個開，都要check 住，佢唔想成日都要同我report。他同我是同title的。我感覺上，我又沒有要他report，反而我問多少少，佢就會長篇連環10個msg。相反，我很少分享自己的看法，每次詢問之後，我都只是哦，oic咁。可能同事比較反感我問長問短。son姐你可以分享一下你的看法嗎？」

做好份內事　增強自信

出來工作四年同一間公司做了三年，還算「新丁」？這位讀者的敏感根本就是八卦，這麼空閒到處問長問短、關心老闆去向做過甚麼事，那麼日日在辦公室究竟做過甚麼公事？真的要稱讚他的同事們的耐力耐性，對他的包容真正社會難尋，職場罕見。他做的是不是政府工？

在工作上要增強自信就應該努力專心做好自己份內事，再有資格理其他。人際關係上要增強自信當然就要學點做人，最低限度不要庄閒不分，多管閒事乞人憎。

同事反感，不會反省因由，堅持繼續問那些「九唔搭八」完全與自己無關的問題，保得住份工還可以加薪加入新部門，恨死多少做到「有氣無掟哮」的打工仔？

做隻馴良的竣馬，還是做隻脫疆的野馬，會較討上司歡心？你懂的。

定力

職場是社會縮影同時亦是競技場，各式各樣什麼人種都會有，落得場跑，總會遇到跟自己夾得來的，也有跟自己夾不來的，你如何與這些人相處，令自己在職場上如魚得水，講求的是情緒商數（EQ），不是智慧商數（IQ）。

EQ是可以後天學習，透過實習累積磨練修練的。但IQ的高低，是天注定。只有小聰明沒有大智慧，小小成績沾沾自喜，很容易就自我膨脹自我感覺良好，終究成不了大事！

小人當道　從來都有

小人當道自古以來都有，但歸根究底冤有頭債有主，講到底都是上位者昏庸無能所致，小人只不過是投其所好。要是對着正直實事求是的明君，小人根本無用武之地。

真小人卑鄙下流？我認為單單一個真字，我服！江湖險惡，有眼無珠遇人不淑經常有，怪亦只能怪自己學藝未精，最緊要經一事長一智，我的座右銘是 "Fool me once, shame on you! Fool me twice, shame on me !"

偽君子最令人作嘔

不過講到最鄙視的角色，非偽君子莫屬。偽君子不論職級高低亦無男女之別，歡迎各位按圖索驥自行對號入座。

擺明車馬無寶不落，no money no jet so no talk，啱就傾，唔啱算數過主，我亦不會阻人發達，人各有志完全ok沒問題，但偽君子就絕對不能接受兼容忍。滿口仁義道德，講到天下無敵，假仁假義假道德，難聽過粗口。笑騎騎放毒蛇，明明親手在背後插一刀，還要做好人扮無知，甚至乎若無其事幫你止血兼包紮，簡直令人作嘔！

雖然我素來性格剛烈嫉惡如仇，我和真小人做不成朋友亦可以做買賣，但絕對不能忍受偽君子惺惺作態言不由衷扮真誠的假面孔，我連敷衍都不屑。想當年入世未深很單純，雖則年少氣盛但幼承庭

訓，害人及防人之心一樣無，我當人知己，人家把當我傻瓜，被利用出賣了還懵然不知。知道真相的時候的痛，不足以筆墨去形容。

如今香港偽君子當道，教我們香港人情何以堪？

講到底，發脾氣是本能，要發脾氣沒難度。EQ高，把脾氣壓下去控制得住不發是本事。老驥伏櫪志在千里，君子報仇十年未晚，沉得住氣才能有清醒的頭腦分析判斷形勢局勢。審時度勢知所進退，方能成大事。恃才傲物的所謂聰明人，我見過太多！橫衝直撞以為自己好聰明不把其他人放在眼內，結果暴露自己缺點之餘，暴露的漏洞更多，每一次所謂的成功，都為自己渾身上下留下周身牙齒印。

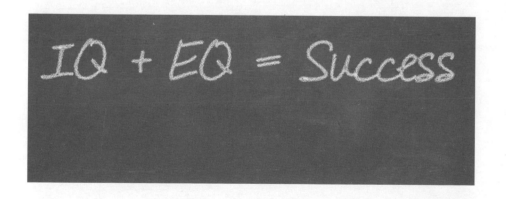

IQ + EQ = Success

15. 一片真心

作為人類忠心的朋友，馬即管認定了其騎師，就會忠心耿耿讓他騎在自己的背上。人非草木，誰屬無情，你以真心與人相對，可昭日月，對得起自己，對得起別人。

我說話做人做事一向單刀直入，講得好聽是快人快語夠爽快，實質是得罪人多不自知，不知多少次踩中自己埋下的地雷。不敢自誇屹立不倒，但至今依然死唔去，算是個奇蹟。之所以不死的原因，思前想後，離不開一個「真」字。

說話帶刀但卻真心

我的知無不言言無不盡，聽者會錯意的有，錯誤解讀的亦有，拒絕接受自己最真實一面的更有。明明善意指點好意提醒，因為太過直率，結果是得罪兼傷害了人。被恩將仇報、被過橋抽板、被好人當賊扮，當然極傷心難過。人在做自然有人在看，付出真心，自然結

識得到志同道合的朋友，更結交得到肝膽相照的知己。明刀明槍、敢作敢為、敢錯敢認的作風，甚至贏得對手的尊重。

貫徹一向自省省人的宗旨，吸取教訓，不能重複再犯低級的錯。天下間最愚蠢的事就是，因別人以心為心為你好而戳中痛腳，結果大家反目成仇。痛定思痛，終於明白「逢人只說三分話，未可全拋一片心」的箇中道理，絕對不是年少輕狂的我以為的怕事膽小和虛偽。

想當年我年少輕狂，認為自己心直口快，知無不言言無不盡是最大的優點。看到有什麼不妥當，以為直斥其非是為了避免事情出錯，是做了好事。結果？職場勾心鬥角，人事鬥爭辦公室政治，老闆老謀深算，管理層員工各懷鬼胎各有盤算，講多錯多，結果我成功成為眾矢之的被圍剿。豈一個蠢字了得？ 說來慚愧，這個道理，我撞板撞了超過半個世紀，直至最近才真正參透覺悟。看穿不說穿，看破別說破，是境界！

帶著假面具不累嗎？

其實日日在公司工作，和同事相處的時間比親人的還要多，融洽的工作環境，絕對有利提高工作效率提升表現及生產力。而且要自己日日帶著假面具角色扮演，為什麼要為難自己咁辛苦？不同人有不同的做事作風，工作時各有不同意見才是正常，即使有意見分歧，都應該是對事不對人，絕不應該take任何批評personal！

我是寧願和真小人交手都不願和偽君子打交道，尤其是那些成事不足敗事有餘只懂在背後搬弄是非唯恐天下不亂、但站出來義正嚴詞扮正義的偽人。

Come on，若要人不知，唔好咁「低B」，OK？

工作只是人生的一部份，不要捨本逐末，只要盡責盡本分做好自己，哪怕沒有留人處？天天搬弄是非，唯恐天下不亂，損了人，即使真的就能利己，請記住凡事都有代價，你點對人人點對你，若要人不知唔好咁低B，始終有日要本利歸還。

1.6 做到隻積

工作不是賣命，打工仔不用「做到隻積」咁嘅樣。

工時長經常OT無可否認對自己對家庭都造成影響或困擾，身心俱疲。我不是幫僱主說好話，在資訊互聯網發達分秒必爭與時間競賽的今日，我們個個都是智能手機電腦的奴隸。Email、WhatsApp、Facebook、Messenger、Wechat……

總之一定有辦法第一時間通知聯絡上，實在無法為公私時間定分界。老闆上司的奪命追魂call，不管員工身在何方，總之想起有甚麼要問電話就到。變態到連下屬去Honeymoon、甚至入醫院生仔都要把電話帶在身邊隨時standby，究竟是那員工實在太重要行開一陣都不能，還是上司老闆自私「老奉」習慣就手，當員工賣了身？

適時拒絕 對雙方都好

以我為例，出了事老闆第一時間會找我，是對我信任的證明。只不過事有緩急輕重，我做人處事一樣有底線及界線，緊急事要即時處理避免造成更大損失傷亡，不管我身在何方，我絕對樂意出心出力奉陪到底。

但要是雞毛蒜皮芝麻綠豆瑣碎事，我會毫不考慮不客氣一口拒絕。很多時候即使明明不合理要求，因為怕不禮貌不尊重不好意思拒絕，忍氣吞聲不是辦法，只會被老闆上司視為理所當然！不會收斂之餘只會變本加厲越來越過分！結果不是不歡而散反枱收場，就是把自己屈死或者屈到神經病。所以我經常勸打工仔們揀工不如揀老闆，人夾人緣，勉強從來無幸福。

喜歡自己的工作嗎？

有些工作工種例如記者，有什麼風吹草動就要第一時間報道，這一分鐘新鮮滾熱辣，下一分鐘可能已經是明日黃花。但做得這一份工作，就應該一早知道，沒有標準工時亦沒有可能為公司定界線。但我認識不少記者越做越起勁，越拼越熱血，當這是自己最喜愛的事

情，那它並不只是一份工作咁簡單，根本不會計較亦沒有時間計算時間的長短。

講出來其實很無奈，的確有老闆上司喜歡和下屬鬥長命在辦公室鬥遲放工，用OT來衡量員工是否辦事得力，及好員工的指標。員工可以做的，當然是早走早着啦！

巴結

做獵頭最經常接觸斡旋的除了是人事部的上上下下，還有很多人以為不重要但其實絕對有能力阻攔兼敗事有餘的，就是各大小秘書。

我份人平時雖然聲大夾惡，但自問一向以禮待人，從來不會以對方身份的高低有所改變。想當年電子器材電腦電話都不如現在普及先進，經理級人馬都有秘書傍身，因為所有文件需要靠秘書打字存檔做記錄。

不能得罪的秘書

而我需要獵她們上司老闆的頭，即使打的是直線號碼，接電話的很多時候都是秘書。難在我不能表明來意，因而領教過不少秘書的氣焰。俗語有話：「物以類聚，人以群分」，其實看candidate用的秘書，或多或少反映出其人的做事作風及為人。

大家會否以為職位越高的就越是有架子？所有來電定必先經秘書篩選，不會隨便親自接電話？但我從好幾位大班身上學習到終身受用的，是事必躬親。

除了親自接電話，結束會晤後還會親自送我出門口等電梯，簡直令我受寵若驚。所有相關文件檔案全部直接來往，全程毋須秘書插手，秘書擔當的只是coordinator(協調)的角色，安排和不同部門的開會地點時間等。在基於互相尊重的大前提下，基本上不會出問題。

難頂的事當然有，打電話cold call candidate被那些守門口的秘書們，當作犯人般審問的經驗我都有不少。這些揸住雞毛當令箭的大小秘書，在本地大企業中經常見。

其中一些我絕對有理由相信，是由老闆太太們請回來守門口的，我禮貌地報上姓名留下電話，希望老闆有時間回覆。秘書的凶狠答案是，如果講不清楚我是誰，不知道和老闆有甚麼關係，來意究竟是甚麼的話，她是絕對不會轉告的。

不過講到被秘書玩到最慘、最殘的一次，是一間國企銀行北京總部的姐仔。

秘書可以玩很大

話說該中資銀行的一位高層是我的好朋友，雖然和香港人事部主管不是太熟絡，但有高層職位招聘我都有機會參與。本來和北京總行完全扯不上關係，但因為銀行決定把客戶服務部北移，需要一位非常之有經驗可以把整個部門建立，必須是個以普通話為母語的candidate。而我手頭上就有一個極富經驗完全符合條件的台灣人，所以香港主管着我盡快和北京人事部接洽安排面試，惡夢正式開始。

負責接頭的那位就是北京人事部的秘書，但不知究竟是有心還是無意，電郵也好電話也好，明明答應了會跟進確實在北京的面試地點時間，三催四請不是失蹤人口就是永遠得個講字。

問香港究竟招聘是否被擱置，只得到「據他們了解是積極進行中」的沒用答案。再問除了這位秘書之外還有沒有其他人可以幫忙，獲得的是部門主任的聯絡電話及電郵地址。

我的台灣candidate，一直在等消息，大假亦一早申請好，只要日子確定就可立即買機票飛北京。所以馬上和北京的部門主任聯絡，我知道國情，莫講投訴，連半點對那位秘書的不滿或怨言都沒有，主任反問我不是一早安排好了嗎的時候，我當場嚇了一驚。弄清楚面試日子原來是三日之後的下午，即刻通知candidate買機票。

以為一切順利安排好，突然接到candidate從北京打來的長途電話，到了他們辦公室那位秘書告訴他，負責面試的頂爺原來下午要出差，一早告訴了我要改時間，奇怪為甚麼他不知道。Candidate問我該如何是好，我就打電話找好朋友幫忙，實在唔話得，知道頂爺未上機，臨急臨忙安排了他們兩個在機場做了一個簡短的面試。很慶幸大家明白事理，完全沒有怪責我。

有沒有讀者可以猜得到，這位秘書膽從何來，如此明目張膽玩咁大？

職位小但可橫行霸道

講到國內那位人事部秘書夠膽公然玩我的原因，不知道大家心中有沒有答案。

第一當然是和利益有關；第二就是已有最佳人選，當然是個自己人；第三就是根本排外，說甚麼都不可能會益我這個外來人。最後亦是最重要的一點，就是地位面子。北京總部請甚麼人，幾時輪得到香港分部的甚麼人指指點點插手干預？

至於是不是一定收了錢？這件事要是發生在上海，以上海人「金錢掛帥利字行頭」的特性，毋須多講肯定是。但是發生在北京，就不一定和錢有關，但肯肯定和關係有關。

動物扮工室

知我白忙一場，好朋友及香港人事部主管覺得非常不好意思，各自向我透露了一些內情。綜合兩個人提供的線索，推敲得出背後真正原因，除了以上所講幾點，還有那位秘書和頂爺之間的關係，非比尋常的密切。但因為年齡相差懸殊，究竟是男女還是提攜後輩的關係，就不得而知。

只知這位秘書年紀職級職位都小，架子可大橫行霸道，人事部主任都要忍讓買她怕。大家不要小看「主任」這職位，在香港的確是小角色，在國內就是單位即是我們叫部門的主管。換句話來說，莫講我根本不會花錢買關係意圖或企圖疏通小秘書，即使我願意，這位小秘書後台強硬，根本我如何打亦通不了。

既然如此那個新職位在國內搞掂不就得了？為甚麼偏偏要香港幫忙找人選？搞場大龍鳳，原來不是下馬威而是把「路線」清楚顯示，從此之後所有人都明白究竟這是誰的黨派，誰是最終幕後話事人，今後誰要是想加入，就要跟着「路線」走，巴結「對」的人。

1.8 識途

在工作崗位上，任你再紅，都記得要做隻識途老馬，才能千秋萬代，否則衰收尾，前功盡廢。

我認識一位職場大紅人，能稱得上是大紅人，當然業績標青身手不凡，在行業內都是個響噹噹的人物。不過名氣大時，氣焰亦大，自覺頂起公司大半邊江山，除了老闆，一律當其他人無到。一直以來，不是沒有獵頭找上門，大紅人只是未有想過一直鬥過你死我活難分難解的競爭對手，竟然會透過獵頭找上門商討跳槽的可能性。

大紅人「獅子開大口」

他心知老闆對他不薄，但還是心癢難耐，八卦想知道自己市場價值，所以答應出來見面傾吓計。對方開門見山問他要求待遇，大紅人「獅子開大口」，認定對手不會肯出如此優厚的條件。

第二天收到獵頭來電，獲告知競爭對手照單全收的時候，着實嚇了一大跳，然後心如鹿撞。怕有誤會或閃失，先要競爭對手準備offering letter給他做參考。Offer到手之後，隨即找老闆請辭，拿出證據來證明對手的offer有幾優厚，實在難以抗拒。老闆問他有沒有商量的餘地，如果可以match到offer的話，他會不會願意留低。大紅人對這份工作不是沒有眷戀，始終駕輕就熟做開有感情，二話不說爽快應承。

大紅人沒有想過老闆竟然會如此順攤，不自覺飄飄然細心再想，一切來得如此容易，會不會是自己的叫價太低？冷靜下來思前想後，想到一個進可攻退可守為自己爭取最佳條件的方法。

一方面通知獵頭，老闆開出更優厚條件on top再加20%留他，除非能夠提價match，否則他是不會走的了。另一方面轉頭再去找老闆，說對方開出更優厚條件on top再加20%搶他。老闆眉頭一皺，說開價着實太高，他需要時間詳加考慮。大紅人要求老闆三日之內必定要有答覆，因為對手等得很焦急。

大紅人的如意算盤，究竟打不打得響？

上司也有自己的盤算

大紅人認為自己站在不敗之地，穩操勝券實無輸。因為即使兩方面的offer都企硬不肯加，去或留的主導選擇權依然在他的手上。

大紅人的氣焰有幾囂張，他老闆不是不知。坦白講，近幾年大紅人經已無復當年勇，還繼續包容，不是因為他的勞苦功高咁簡單，是老闆非常念舊，更是為了大紅人的忠心耿耿。這些年來不斷有人想邀大紅人過檔，老闆豈會不知？但大紅人從來沒有以此向老闆要求或要脅，所以老闆自動自覺年年自動波，加人工加花紅從不手軟，真心對他不薄。

競爭對手對大紅人的存在早就知，要出手一早出，為甚麼等到今日？原因只是他們家族鬥爭擺不平，其中一房提出找個夠經驗有份量的人來主持大局，好聽一點是做公證，其實根本左右做人難，本來想從內部自己人中找人選，各懷鬼胎當然沒有一個能得大家一致通過。所以只好找獵頭向外物色，最終鎖定的，是大紅人。明知這

個燙山芋實在燙手，為免夜長夢多節外生枝，即使大紅人開的條件辛辣超出預算，還是爽快應承。

其實大紅人拿着公司的主要競爭對手的Offer向老闆辭職，老闆的第一反應雖然是挽留，但心中刺痛，這絕對不是辭職咁簡單，是背叛更是出賣。所以當大紅人得寸進尺要他再加價挽留的時候，他已死心，要考慮的只是該找誰來替代。

三日後老闆告訴大紅人接納他的請辭，無需通知期即日放他走。大紅人只能接受競爭對手一毫子都沒有加的Offer。

跳槽不到一個月，老闆突然收到大紅人的電話，言詞懇切說想要請老闆食飯。大家可有興趣猜猜究竟所謂何事？老闆有沒有應約？

大紅人的結局

揭曉結果之前，我想問問大家，如果你是老闆的話，大紅人請的這一餐飯你會不會去？

去，是肯定不會想去，但不去，會不會是小氣沒風度？

結局可能出大家意表，因為根本沒有大家想像中的複雜。老闆行程緊密每日的schedule排得密密麻麻，食大紅人的那一餐飯，不是緊急事。根據老闆正常日程排隊，最快都要三個月後才有空檔。老闆秘書公事公辦，如實報上日子問大紅人要不要約定，大紅人硬着頭皮說好。

又再問問大家，這個約會最終有沒有被取消？這餐飯老闆有沒有吃得成？

大紅人的跳槽，根本就是玩把戲為自己爭取更好的條件籌碼。那間競爭對手的老闆不是「人咁品」，行內人個個都知，所以有條件有能力做得好的根本不會去，沒條件沒能力的老闆看不上眼。願意出天價是因為根本沒有辦法請到人，大紅人見到有黃金機會，以為很聰明可以毫無顧忌，為自己爭取鑽石籌碼。機關算盡，只能說句求仁得仁！

第2章 隊友 是豬 還是毒蠍?

辦公室是社會的縮影,毒蛇、蠍子,虎豹豺狼甚至海鮮都有,日日返工好像身處動物園,更加可以是馬戲團。是樂園?還是失樂園?要在職場生存,要好好「讀人」,看清每位對手,別妄想在職場建立交心的知己良朋,最好只是好好保護自己,盡量遠離危機!

2.1 朋友以下

如果問大家一份工是否能夠做得長的主要因素，我相信絕大多數人
都會答是因為錢。

但事實上離職的最大原因，是究竟做得開心不開心。而所謂「開心」
的來源，是在於人事！不單是指老闆對員工好不好這麼簡單，是能
否和同事融洽相處也是重點。辦公室政治無可避免無處不在，若天
天上班猶如在上演「攻心計」相互角力，在高壓的工作環境下，誰又
想繼續留下？

零友誼

同事之間的相處從來都是一門學問，一輩子都學不完。

我經常告誡大家，和同事能夠互相尊重共處就好，不必成為朋友，
抱住「君子之交淡如水」的宗旨！看似薄弱的零「友誼」關係，在工

作上有甚麼意見磨擦也好，反而可以暢所欲言以事論事，不必怕會有所得失而諸多顧忌。

拒絕恃熟賣熟

最怕就是恃熟賣熟賣友情，只要一句：「一場朋友唔係咁都唔幫吓嘛？」又或者「一場朋友唔係唔信得我過吖嘛？」再加一句「一場兄弟有乜唔講得先？」

以高尚的「友誼萬歲」作口號，要求別人左右其行，跟威脅性質沒甚麼區別。

就算幾「老友鬼鬼」都好，公私一定要分明，事關機密要保密就絕對不能夠對任何人透露半點風聲，根本與交情完全無關。因為「不夠朋友」從芥蒂到嫌隙反過來被唱衰針對的例子多不勝數。

被同事利用出賣、下屬隊友好友反目成仇，在職場行走的各位不是親身經歷都一定有目睹過。

以為忍氣吞聲，事情就會告一段落？「來說是非者便是是非人。」
講個個識講，謠言止於智者？

我在職場行走幾十年，很遺憾地和大家講，愚者到處都有，自以為
是智者的「扮智者」為數絕對不少。但真正做得到泰山崩於前而色不
變，分得清是非黑白不會聽讒言的智者，沒見過幾個。始終我們都
是人，都很難敵得過人性。

過份忍讓沒好處

我見過不少兄弟班反目成仇的例子，就是因為把兄弟和同事的角色混淆了，明明知道同事有錯都不會問責斥其非，公私是非不分還要講義氣過分縱容。那做錯事的根本不知道要改錯之餘，還繼續錯完又錯重新再錯，成為一個成事不足敗事有餘的包袱。

另一個常見的情況，就是為了建立交情怕得失人去做醜人，對所有人都過分忍讓，勉強自己把所有事情攬上身，結果做死自己還要被嫌棄做得不夠好，真正有冤無路訴。

以我自己為例，串嘴毒舌得罪人多稱呼人少，咁乞人憎照道理辦公室內應該無朋友。雖然我不是人見人愛車見車載，但一有甚麼突發危急關頭，我這個鍾無艷都二話不說盡力幫忙解困。對公司對客戶對同事對下屬對競爭對手，我絕對一視同仁！患難見真情，就是最有價值的人情！

2.2
人心難測

前文提到，在職場上，建議大家都抱着「君子之交淡如水」的交友宗旨，到底職場上有沒有真友情？

接下來就和大家分享一些「曾經朋友」的刻骨銘心的真實故事，好讓大家學習引以為鑒。最溫暖窩心同時又是最險惡陰森、最難測的是，人心！

從客戶關係成為朋友

很多人以為我相交滿天下是因為做獵頭的關係，但其實想當年我只做獵頭的時候，是非常刻意地保持低調。

我是個奉行廉政公署政策「密密實實」的獵頭，主要是要保護candidate，事成之前無論如何不能洩漏半點風聲。所以見面總是在

咖啡廳，當作朋友之間的閒聊，避免在我辦公室出入萬一被人見就肯定麻煩，怎可能讓他們的上司或僱主知道他們見獵頭？

雖然如此謹慎低調，生意不成仁義在，我和不少candidate都結成好友。但當然一樣米養百樣人，亦有過不少被以為是朋友的人利用搵笨，恩將仇報的都有。之後連多謝都沒有我預咗，但竟然有顏面惡人先告狀，反過來抹黑我開天殺價向錢看。

「曾經是朋友」的故事

有一位可說和我識於微時，我入行做獵頭時他只是個經理，認識他是誤中副車，我想獵的其實是他老闆的頭。有殺錯無放過，照樣和他攀談成為朋友，互相交換市場資料成為我們的習慣。

之後他的每次跳槽，我都是他背後的軍師，開條件開價討價還價，即使是其他獵頭找他沒有道理要我插手幫忙的，我都義無反顧默默在背後為他打點探路。我一直以為大家是好朋友無所謂不計較，未

想過原來在對方心目中，我只是有被利用的價值而已。

話說他上任新工沒多久，突然一天打電話來說想找對家的一位經理過檔，但礙於對家老闆和他的老闆是朋友，絕對不能直接找，要我出手幫忙。因為素有交情，我馬上行動，事情進展得很順利，很快安排了他們的直接會面。只是奇怪之後竟然音訊全無，打電話找朋友秘書說他出了門，於是問candidate發展如何，原來說時遲那時快談好條件經已簽好信，下月初上班。

發個電郵問朋友Offer如何以便出單收錢，獲得的答覆是，只是叫我打了個電話之嘛，我憑什麼為什麼收錢？還要說經已很益我，我的database多了一個好candidate咁話。

原來是無賴

我真的沒有想過他原來是個無賴！

我們獵頭的輕易輕鬆講兩句就有錢收？真金白銀買我服務的客戶莫非個個白痴戀居兼夾傻的嗎？無謂爭辯，我叫他去人事部先確認一下，只要他肯見由我介紹的candidate，就等同接受我提供的獵頭服務，事成就要根據合約內的條款付錢。

見我態度強硬不肯就範，他的態度馬上回軟，向我「坦白」，錢又不是他的何須要吝嗇？一場朋友他絕對不會「搵我笨」，其實一切是人事部的主意，他初來報道迫不得已做醜人。並聲稱會為我再去爭取，三日內會有答覆給我。

第二日收到人事部主管的電話，認為人選是由他們提供的，我做少了很多，不可能付全數，頂多只能給三分之一！我很憤怒，我從來不是一個斤斤計較認錢不認人的獵頭，只要事前講清楚，萬事有商量，而不是打死狗講價。

自導自演

到這一刻我竟然還信任他之所以這樣對我都只是迫不得已，於是直接跟人事部主管問個清楚。不問猶自可，一問我們兩個都把幾火，整件事他自導自演只是因為要認叻邀功，我們兩個都被他擺了上枱。

人事部主管一早在會議中講明，透過獵頭獵人不管被獵對象是否由銀行提供，都要照單找數。這位仁兄當場對着所有人拍心口說不用，以我和他的交情一直「益」了我很多，我是絕不敢亦不會收他錢。結果知道我堅持要不了我，就和人事部主管講我好麻煩，說「俾少少打發我」，三分之一是他提議的。

既然如此我亦毋須俾面，向主管講明我會先禮後兵照出單，不過一毛錢都不會減。如果銀行不認數不找數，就法庭見等官判。

我先禮後兵表明立場，人事部主管知道我「企硬」絕不退讓亦不罷休，原因不只是為錢咁簡單，說他會向高層交代清楚事情始末一有

結果會盡快通知我。結果？因為要從頭開始再做一次手續程序，又要有五個不同地區部門的阿頭簽齊名approve方能process，足足搞了大半年才收到錢。

當上了一課

我向來重情義講義氣，而且幼承庭訓，認為施比受更為有福，有能力幫人是最大的福氣。因為很多事情我都會義不容辭去幫忙，所以惹了不少強出頭的煩惱，但亦因此結交了肝膽相照的老友。

問我得的多還是失的多？有沒有後悔過？我的答案堅定肯定，絕對是得的多太多，我的字典中，從來沒有後悔這兩個字。

亦師亦友也能被出賣

講到真正傷我心的，是另一位亦師亦友的「好朋友」。可以說是和他肩並肩成長，陪伴他踏上飛黃騰達青雲路。

想當日我獵他的頭的時候，他只是一個小隊頭目，10年之間成為了大哥大，再成為頂爺。每一次轉工雖然是由我一手包辦，但我不敢邀功，因為他各方面的表現着實出色。

我既是他的career coach亦是planner，為他探路舖路，建立團隊班底招攬人才，一直不遺餘力。當然他亦對我很信任，交托我辦的事，我從不有負所托。

他登上頂爺之位之後，他想開個新部門抗衡，然後取代前朝留下的那些拒絕接納新思維、不肯與時並進的老臣子。因為只能在極保密的情況之下進行，所以只能是我自己一個人做。

人事部主管當然亦被蒙在鼓裏，根本不知道有這一個新職位的存在。好不容易找到一個極之合他心水的人選，但對方只要做多四個月，就有七位數字的花紅。為了好來好去有交帶，candidate堅決要給現有僱主一個月通知，可以安排好各項交接。但還是經不起上

司出動埋主席的極力挽留，candidate選擇留低不跳槽。

頂爺要的就是他，希望我繼續游說。結果一次地震重組，令candidate死心，願意重新啟動談判，最終決定加盟，前前後後，超過了一年時間。

就這個原因，出事了！

有心不説還是故意忘記

神女有心襄王有夢，一次會面雙方所有條件傾妥。

頂爺說他會親自囑咐人事部阿頭盡快把所有繁文縟節搞掂，務求心水可以盡快到任。心水和頂爺會面之前先問了我意見才開條件的。所以事成之後，第一時間通知我一切順利。我並沒有因為知道頂爺志在必得，教他開天殺價。我知頂爺素來豪爽言出必行，只要說到做到，所以基本人工加幅沒有要求很高。反而花紅獎賞，只要達

標，頂爺保證必定不少於多少。既是新部門，望頂爺承諾放手讓他自組新班底，當中包括他舊部屬。

心水通知我正式上班的日期之後，出單之前，我有責任找人事部阿頭確實offer內容。阿頭竟然反問整件事與我何干！原來從頭到尾，頂爺沒有向阿頭講過有獵頭的參與，當然不知有我的角色的存在。我以心為心，以為頂爺日理萬機事務繁忙，忘記了向阿頭講，只好請阿頭先向頂爺確認再覆我。

等了兩個禮拜音訊全無，我心知不妙，打電話找阿頭問清楚。答案是根據合約條款，從介紹candidate第一日起計，只有一年期內受聘的，才須要付費。

今次經已超越了一年期限，所以即使事成，我都沒有權收錢。這一年多來我並不是遊手好閒，是從未間斷不停跟進游說，工作我做足，竟然是白做？我還以為是阿頭從中作梗，所以毫不客氣叫他問

清楚頂爺，請他為這事作主。阿頭啞然失笑，反叫我自行問清楚頂爺，這 order 究竟是誰下的。究竟誰是黑手，從頂爺自此人間蒸發不再和我聯絡，該不問而知了吧？

這個世界永遠有太多不會清楚的事，應該說，不知道真相可能比知道更好的事。這些曾經的肝膽相照，到今天要回憶起來，心還是會隱隱作痛。但這些都成了人生寶貴的一課，至少我對別人對自己無愧。

如果今天你也被誰辜負了，Son 姐我只想跟你說，別奢求職場上能有真友誼，做自己實事求是。那些小人都是生命的過客，永遠都不會再交織交會了，就向前看，活得比他好。

23 蠢豬

如果敵人係自己豬一般的隊友怎麼辦？

你首先要搞清楚敵人和隊友兩個角色的分別。敵人就係對頭人，同時亦都係令你打醒12分精神做人做事嘅人。所以英文諺語會有呢一句"Keep your friends close, keep your enemies closer!" 敵人如果識得用，其實真係好好用。你冷靜仔細想一想，有什麼人會把你所有過失過錯缺點用放大鏡，甚至出動到顯微鏡雞蛋裏挑骨頭放大？有個敵人這麼近幫你看門口，真係放心好多！

真敵人是貴人

最恐怖的敵人，是你一直以為是好朋友的人。因為完全沒有防範，所以中門大開予取予攜，懵然不知被出賣了，還替以為是朋友的敵人辯護講好說話。所以擺明車馬是你敵人的人，是你的貴人。

專搞事的是賤人

同事不一定就是隊友，各懷鬼胎的，自己做得不好不緊要，正經事唔做，專門搞事出盡法寶，最緊要令到其他人表現比自己更差就好的所謂同事，大家見得還會少？這種人從來不是隊友更加不是敵人，只是賤人，你要分清楚。

如果你的豬一般隊友敵人，是指成事不足敗事有餘，講又唔聽聽又唔做做又做錯的話，你的敵人不是他，是你自己！我明白一隻勤力的豬，殺傷力可以有幾大，破壞力可以有幾恐怖。但你既然知道就應該要想辦法應付拆解，因為我肯定受害人不止你一個，大家都是受害人，正常來講同仇敵慨眾志成城，沒有理由搞唔掂，你不應該孤軍作戰。如果因為沒有人想做醜人，個個唔好意思出聲，那就不關那位豬隊友的事。明知靠不住還是要靠，出事是必然的事，沒有什麼好埋怨抱怨，做好為他執手尾的準備不就得了？

其實，真正「豬」的，是誰？

24 新鮮人 Vs 老手

年青人初出茅廬不善交際，或者和同事之間的共同話題並不多，並不是什麼大問題。

但認定自己因為性格內斂不懂得說話，明知和同事之間的關係造成負面影響，但依然故我就是問題。

放下「初生之犢」的氣焰

Communication isn't just conversation！溝通其實不只說話那麼簡單，說話只是溝通的其中一種方法，做人做事待人接物的態度，才是關鍵。

用性格這種冠冕堂皇的理由拒絕和同事接觸，教他們如何能夠喜歡自己？每日在公司和同事相處的時間，比在家裏和父母家人朋友都要多，即使有多不喜歡說話，工作上總有很多地方要和上司同事溝

通問清楚。不管如何努力低頭密密做，但做的事只是你自以為是的事，不錯漏百出才是奇怪。

同事之間不一定需要成為朋友，工作之間的溝通配合必需要有。學做事學做人，由學識開口問人開始。

做事快但錯漏多，快來有何用？說話多但隨口噏，說來又有何用？把自己當傻瓜，不懂就問，你會學的更多。

人情世故，還有人情冷暖，職場新鮮人的確很難明更加難掌握。

敷衍應對會出事

曾經遇過一個讀者情況是這樣的：有一位大學生在某家公司當實習生，坐其旁邊是一位在公司生存了幾年的同事。這位老人極愛談天說八卦，工作期間一直主動和實習生搭話，無奈新入職工作量甚多，唯有敷衍應對。但自此，惡毒言語咒罵，通通招呼在大學生身上。

光是知道要謙虛少惹事，在職場上是不夠的。問題在於用敷衍的態度對待人，人家是「食鹽多過你食米」的老手，又知道實習生只不過是個過客，玩人串人何須擇日子，完全沒有需要留手。落得這個下場，完全是因新鮮人對同事的態度出了事。

沒人會強出頭

至於其他同事沒有出手或出口抱不平也是有原因，明知實習生是個閒人，還要態度不佳，犯不着為別人出頭。他們同事之間究竟鬼打鬼還是friend過打Band，第一根本不會懂得分，第二根本唔關自己事。

做intern最大的價值，從來不是學做事，而是學做人，可惜知道價值懂得把握機會好好學習的沒有幾個人。如果如此小事你都覺羞憤難當，你的EQ離合格還有好大一段距離。人必自省然後人省之，不一定是過失過錯，只要從過程中自我反省學習提升，吸取教訓吸收經驗，假以時日一樣會見功。

自私的動物

當我在互聯網打出「自私的動物」這幾個關鍵字，大家估下清一色結果是甚麼？答案是「人類」！你說諷刺不諷刺。

從來明槍易擋暗箭難防，上司也好同事也好，就算擺明車馬是什麼人，都未必個個應付得到。

從中作梗絆腳石

曾經有一位讀者來信是這樣的：

> 「新上司是很火爆什麼事也會狂『小』一餐的人。有一次我需要某些資源為開會做準備，但程序是只有某同事可以做到，一開波已跟上司及那同事講了，中途也有再溫馨提示他們要跟進。但最後到要用時始終沒法提供，上司就「小」到大家上了宇宙，我也被上司說我為什麼不追同事。那同事自此經常單單打打對我態度越來越差，說因

為我而被上司「小」，工作上不會幫我，或得個拖字，(但有些真的
要靠他做，他不做我亦無可奈何)。

現在我在新Team是全自助一腳踢，真的不知怎樣再合作下去。但
上司完全不知道，因為他的狂『小』，而令同事關係差劣，我要繼續
在新Team幫手，我可以怎麼辦？」

破釜沈舟

這位讀者的焦點不是放在如何尋求及嘗試找方法解決問題，而是認
定自己無能為力只能無可奈何。

看情形這位讀者似乎完全沒有想走的念頭，既然這份工作還是要
做下去，他更要為自己如何生存想辦法。所謂只能那同事做的，
講來講去都只不過是程序上的事，橫死掂死，預期等人幫然後被
玩死，還有什麼不敢講？程序是死人是生，反正無論如何要被
小，向新上司講清楚自己很想把工作做得快夾妥，必須要甚麼資
源配合才能做到，這位讀者還有可能扭轉局面展示實力表現價
值。否則即使他肯放下尊嚴任人小，那同事只要繼續不配合，他
只能束手無策坐以待斃。

2.6 恩將仇報

比起明刀明槍的「撩架打」，躲在背後的暗箭更難防。曾經遇過一個讀者的來信，個案實在令人心痛的，明明前一秒還是朋友，下一秒就瞬間成敵人。

> 「我新加入公司的時候，有位同事好熱心樣樣都肯教我，我一直以為佢係難得嘅知己，我哋之間無秘密。直至最近一件事嘅發生，一直對我好好嘅上司對我嘅態度突然之間變得好奇怪冷淡，反而對我同事，本來麻麻嘅態度突然親切。
>
> 辛苦追查，原來係好同事恩將仇報，將原本係佢做錯我幫咗佢隱瞞搞番掂，仲教埋佢點樣同上司交代拆解嘅事，成件事顛倒話係我錯，逼佢幫我隱瞞！明明係佢講上司嘅是非壞話，全部話係我講嘅。我好嬲好心痛，點解佢要咁對我？點解上司唔信我？」

小人先下手為強

好同事為何這樣做？Well，事情的發展，未必是他能夠操控預計，但他根本就是赤裸裸的妒忌，讀者越得寵他就越恨。

這種小人，職場比比皆是，只是讀者被自己的善良蒙在鼓裏。朋友出事被人幫他搞掂，就算本意是基於二人間的「友誼」，毫無機心，但在這些小人眼中，即代表是有痛腳在對方手中。一個小人是不會相信這個世界上有君子的存在的，心中自然時刻都害怕對方把自己所做的錯事捅出去。

先下手為強，當然要搶先同上司講，先入為主先贏一半。江湖險惡不及人心險惡，大家都要好好記住這些教訓，學識以後帶眼識人。

被人有意利用的「真相」

大家代入上述角色也可想想，上司點解唔信你？點解一定要信你？同事大講上司壞話的時候，你沒有插嘴評論加多句？如果全屬無中生有，恐怕沒有這麼大的殺傷力。就怕是真有其事，再被人惡意加鹽加醋，把事情的嚴重性無限放大。用是非做人情，本少利大，你不為大把人搶住為，蠢過之後要學乖，不然學費就白交知道嗎？

事情到此為止，要告一段落。留也好去也好，先收拾心情做好自己的份內事，不要再糾纏執着。記住所有在衝動之下做的決定，都只能是錯的，不要輕率魯莽，一時衝動，結果對自己造成更大的傷害。

毒蛇宴

一場簡單的聚餐，原來竟是有毒的「鴻門宴」，後勁可以很大。曾經有一位讀者來信告訴我，「赴宴」後，被毒蛇咬傷，下毒者居然是意想不到的人：

> 「Son媽我有冤無路訴，之前有個唔同部門嘅舊同事約我出嚟食飯傾計，我諗住大家以前都幾好傾無乜所謂，所以應承咗。我之前阿頭睇埋佢個部門，佢話同阿頭唔夾，我同佢講其實阿頭份人無乜點，不過係心急啲，叫佢俾啲耐性多啲時間了解下。

> 成餐飯佢不停係咁數話阿頭點衰，我都頂唔順諗住無下次。點知佢竟然返去公司話俾所有人知我約佢出去食飯，講我講阿頭壞話，仲話我問佢有無興趣跳槽。搞到我好煩唔知點算，最慘我真係同佢食過飯真係水洗都唔清。好唔好搵阿頭解釋一下呢？」

有意陷害 防不勝防

雖然江湖行走幾十年，有那位同事的城府如此攻心計，出手如此狠毒辛辣的人，坦白講防不勝防，都非常難應付。只見來信者還年紀小，叫得我Son媽的年紀不會大，所以不必自責，既然學費交了，就要增進見識，好好上一課，才不叫冤枉。

很明顯那位舊同事有心利用這位讀者，來者不善有備而來，讀者絲毫未覺當然沒有防範，坦蕩蕩上陣迎戰，中箭中伏是必然。

早就被鎖定？

我只是不明白，讀者和他之間是否曾有過節？偏偏選中他，只是因為他是最合適人選？無論如何我相信下毒者的處境應該很危險，毒蛇要行此險着出此賤招爭取籌碼抬身價。讀者的確單獨和他見了面吃了飯，席間他們二人講過些什麼說話只有他們兩個知，各執一詞應該信邊個？

明知讀者必定會知，毒蛇竟然如此大膽故意向全部人講，而不是只向阿頭講，就是要為了增加自己所講的說話的真實性。傳到上司耳中，即使不會完全相信都肯定半信半疑，讀者的確啞子食黃蓮。

風頭火勢，水洗不清，舊公司的事我勸讀者還是少理為妙，專心做好自己的工作才是正途。一定會有水落石出的一日，要沉住氣，記得買定花生等睇戲。

Old Seafood 不死

「假設管理層知old seafood咁狗，但又特登養狗搞局，應該點應
對？而且老闆喜歡養狗，又係一個咩想法？」

這個題目曾引起廣泛討論，證明Old Seafood無處不在犯眾憎，人
人得而誅之！

不過答之前我想先問問各位讀者們，知道Old Seafood是如何練成
的？

無非投上司所好

開宗明義叫得Old Seafood，即是經已"Old"，在公司肯定有日子
兼歷史，幾廢柴的老闆都不可能不知其存在。Old Seafood終日
無所事事行行企企食飯幾味，專職卸膊專責搞事，成事不足敗事有
餘，四周圍牙齒印，究竟憑什麼有恃無恐，保得住金飯碗還要成為

公司不可或缺的中流砥柱？

講到底，無非投老闆上司所好。至於有雞先定有蛋先，有求先還是有供先，冤有頭債有主，你認為誰是頭是主？

當佢透明

所以應付 Old Seafood 的最佳方法，就是當佢透明話知佢，講誰講什麼也好一概全部耳邊風，一認真，就正中下懷，輸了！職場行走，最怕防不勝防死得不明不白，中箭下馬還不知道是誰放的暗箭誰下的毒手。Old Seafood 擺明車馬，最叨不過就是無賴無恥，絕對不值得為這種角色生氣計較浪費生命。何必勉強自己，大不了就是辭職走人！

有「需求」才有供應

老闆喜歡養狗，因為享受被阿諛奉承，千穿萬穿，馬屁不穿，還可以呼之則來揮之則去，幾威風又霸氣呀！

但內心其實極度缺乏安全感，非常介意員工在背後說長短道三四，又最怕員工個個好朋友會連成同一陣線和公司搞對抗，萬一夾埋一齊分分鐘玩著佢。員工鬼打鬼、互數長短、互篤背脊就最啱喇！搬弄是非內容誇張失實不是問題，最緊要層出不窮娛樂性夠豐富，老闆自然開心。

今日香港狗賊當道鼠輩橫行，想堂堂正正搵份適合人做嘅工，很難！

第3章
揀個
「拍住上」老細

我常常跟大家說:「揀好工不如揀個好老細。」市面老細種類繁多,遇著變色龍、狗上司,羊上司,任你武功再高強都難以匹敵,皆因地位早已不對等。找到神上司不易,但我相信人夾人,選中一款合心水,能共事就夠。

3.1 百變老細

說起來我們這一代實在是生得逢時，當年出來找工作的時候，雖然工作種類沒有今日這麼多，但貨真價實是個國際大都會。來港投資發展的公司或觀光旅遊的遊客，一樣以歐美日為主，不像今日全部強國掛帥。當年能夠入讀大學的都是天之驕子，和今日滿街都是大學畢業生，地位不可同日而語。

雖然這些年來職場社會世界的變化都很大，但我對求職者的兩個忠告從來未變。一，就是要根據自己的性格要求揀公司；二，就是揀好工不如揀個好老闆。先和大家講解公司和老闆的種類。

紳士式禮貌

英資公司著重忠誠，禮待員工福利好，厚待尊重老員工。講究禮貌修養，對上司長輩不能直呼其名，必須"Mr."、"Miss"、"Mrs."還有"Sir and Madam"，有專業資格學歷還有貴族稱號絕對不能稱呼錯。做事有條理有規矩，要細心留意英國人上司老闆講的說話，

雖然含蓄但內含玄機，一定要識得read between lines。英式英文，不論講還是寫，都賞心悅目。

「英式」老闆注重身份階級分明，講究禮貌尊卑，所以和下屬員工不會是朋友，表面客氣，保持距離。講規則講效率，員工循規蹈矩，聽教聽話。老闆說話話中有話，員工要懂得當中的弦外之音。可惜這樣的老闆，和殖民地日子的大班年代一樣久遠，是歷史人物了。

美式節奏 快人快語

「美資」最緊要醒目轉數快，喜歡員工主動有野心，不怕接受挑戰追求創新。即使對着公司CEO還是主席，一樣first name basis直呼其名。業績掛帥，以成敗論英雄，有勇有謀不用排隊等升職，可以越級挑戰快過直升機。不過很現實，以往業績多出色又如何，只要今年不達標，分分鐘執包袱走人。

「美式」大鳴大放，直話直說。大家公事公辦，沒有隔夜仇。只要有道理見地就可以開聲，沒有階級之分，開會大家吵個面紅耳熱，散會之後一樣可以拍膊頭去飲杯。升職看成績，著重團隊精神，全部first name basis。老闆不一定是對的，錯了一樣會say sorry！

樂把員工當家人，關心員工身心健康，不會規矩規則多多。真正美式老闆一樣買少見少。

日式 論資排輩

「日資」極其講究論資排輩，下屬不能有自己意見，要絕對遵從上司的指令。男尊女卑，不管女性做到幾高級，實際上斟茶遞水一樣要做。採取集體孭鑊制，事無大小所有相關人等全部要蓋印作實，但是傳文件都要傳幾日。所以實際上是「集體卸膊制」。

「日式」什麼都不用講，絕對服從就噡！OT是必定的，應酬是必須的，集體鑊是必然的。唔好問點解，女性不管職位做到幾高級，一樣要放下姿態招呼男同事上司老闆客戶。作風守舊一成不變，幾叻都無用，最緊要識得跟大隊，最好別鶴立雞群，不要搞任何個人主義。想升職？擔櫈仔排排坐，如果條命夠長，總有一日輪到你。不過大前提係，你要係佢同鄉呢！

中式 宮廷劇論後台

「中資」歷史劇宮廷劇一部接一部，例如一度熱播的延禧攻略和如懿傳，歷史永遠重演，萬變不離其宗。甚麼人能坐什麼位，看的不是個人能力，最緊要是看後台，誰比誰的更夠硬，還要鬥命硬。但頸絕對不能硬，因為激怒主子，他們的下手絕不會軟。一朝天子一朝臣，明爭暗鬥永不絕。主子不會是錯的，有錯都是奴才們的錯。武功蓋世又如何？功高蓋主，肯定死硬。

「中式」多看一些宮廷劇，那個當今聖上皇帝就是老闆，華夏幾千年歷史足以證明，尤來是昏君當道的。圍着他身邊團團轉的妃嬪、太監宮女、忠臣奸臣、黃馬褂種族宗室、還有太后太妃太子王子公主駙馬，要和這些人斡旋無問，問你死未？記住以上角色在職場中行走是和性別無關的，得皇上歡心者風生水起，乞皇上憎者珠滅九族。好打得的鍾無艷有事出來打生打死用的，好食懶飛唯恐天下不亂的夏迎春是用來寵幸的！

港式 捱生捱死

「港資」本是同根生，相煎何太急？土生土長的老闆大都是白手興家，自己做過打工仔，肯定知道打工仔的要求及苦況。但偏偏最喜歡請只顧公司利益，不理員工死活HR把關，制定各式各樣不透明制度，公司指望員工拼命賣命，但賞罰從不分明，是典型的「又要馬兒好，又要馬兒不吃草」。今時今日大部分公司都依然認為僱主大晒，有份工俾你做你該感謝「皇恩浩蕩」。不過一竹篙不能打一船人，年青的港資公司，願意和員工分享成果的亦不少，亦有各大小forum的爆料。只要肯做功課，可以大幅減低中伏的機會。

動物扮工室

「港式」老闆就是一家之主，一家之主的地位是不容挑戰的，有工你做有飯你食，你應該感恩的孝順的聽話的，人工是賞賜給你的，還有面目好意思嫌少？舊港式老闆最喜歡想當年，最喜歡勤力節儉。偏偏死慳、死抵、死捱，一交富二代手中，為了富三代，打官司爭家產，親生兄弟無情講。新港式老闆意見主義多多，可以和員工打成一片，不過最緊要好玩，三分鐘熱度好快過，唔玩結業有甚麼問題？老闆沒有方向感責任感，員工難有歸屬感滿足感，也是正常。搵食艱難，搵份好工難，搵個好老闆，難上加難！

不過記住以上分析和老闆的國籍無關，是以做事方式作風而論。大家要小心睇路，老闆打着 open 西化的旗號，絕不代表他內裏是真心 open 的西人。

記住老闆絕對有權講一套做一套，五時花六時變是很多老闆的強項，比方丈更難捉摸。之不過今時不同往日，打工仔不只在工作上要安分守己，更要鑒貌辨色，心中有數自行斟酌，否則後果自負。

狼老闆有幾真？

好的老闆，是一頭狼，帶領同族找到目標之餘更對同族忠心耿耿，相對地作為狼群的員工們，當然會豪不保留地完全信任，因為狼群知道，愈是相信頭狼，所得到的會愈多。

但在現實社會，當老闆的口頭承諾沒有實現，我們又是否應立即背叛老闆，將他打入人生黑名單，離他而去或永世不相見？且讓我和大家說一說個故事：

花紅承諾沒兌現

不久前，有一位讀者和他的老闆一齊跳槽，不過其實只要在原公司多待幾個月便可領取花紅，老闆勸導讀者不用擔心。只要去到新公司便會作出有多沒少的補償。老闆帶領讀者好幾年，覺得老闆看重自己，非常之信任，很多工事都會放手給下屬，相對地，讀者都信任著老闆。

奈何到了新公司，過了試用期後才加幾百塊薪水，原本說好的花紅呢？以公司業績不好為理由，全面取消發放。也因此，該讀者忿忿不平，新公司一句「業績不好」，幾十萬的花紅就飛走了，覺得既然老闆做不到，當初又許下諾言？那一刻真是想「劈炮唔撈」，但這樣不顧而去又好像有點不近人情。又不知可不可以控告他們作出賠償。

十幾萬當「學費」

首先要明白，所謂老闆不是公司真正的老闆，只是你的上司。無論他的職級有多高始終要聽命於 Head office，花紅也好人手也好人工也好，話 cut 就 cut 無情講。

記住所有在盛怒之下做的決定，都一定錯漏百出，被憤怒掩蓋了理智，只會做令自己損上加傷的愚蠢事。老闆所講的，未必全部是人話，讀者跳槽當年很多公司的業績都比預期中遜色甚至有大倒退，公司叫停一刀切不發花紅，絕對有可能。因為出不出花紅公司有絕對最終的話事權，生意好就有，生意唔好就無，員工們確實沒有討價還價的餘地。

如果交了學費得不到教訓，就名副其實total loss！事實讀者自己都要負一部份責任，老闆講就信？沒有在合約上寫清楚，對讀者沒有一點保障。

向好的一方面想，他自己亦可能是受害人，事情不在他控制的範圍內。向壞的一方面想，他一開始信口開河，但求讀者肯跟他一起走，甚麼都應承。讀者的現任僱主可能根本不知道讀者和老闆之間存在有花紅承諾這回事。讀者要告老闆，民事訴訟確是有權，但結局只會是「雙輸」。

停一停 想一想

一方面說老闆對員工很好，員工亦非常信任老闆，怎麼一下子變成完全不信任，認定他就是出賣員工欺騙下屬？我知一下子失去十幾萬好肉赤，不妨先冷靜細心想一想，欺騙下屬對他有甚麼好處？這個大話能頂得幾個月？一旦被拆穿雙方肯定反面，當初何必大費周章帶這位讀者跳槽？

如果這位讀者的老闆無呃他，我相信老闆的損失絕對比讀者大，沒有辦法兌現承諾是迫不得已，他自己亦沒有辦法控制的事，他自己亦不會好受。我做了獵頭這麼多年，這些例子我見過不少，在offering letter中寫明有幾多guaranteed bonus的日子，已經是上個世紀太久違了的事，只能是口頭承諾大家講個信字。

開心見誠

既然老闆一向對讀者不薄，讀者如此耿耿於懷，何不約老闆出來坦白誠懇地講清楚自己的失望及感受，既然同坐一條船，有福同享有難同當，只求做好工作，寄望日後人工花紅的加幅。最低限度不要影響彼此間的信任及感情。

老闆要是真的講大話呃人，那麼我要恭喜讀者，終於有機會看得穿老闆的卑鄙真面目。無需多講，不必為花紅和老闆再作任何爭辯，不動聲色馬上出去搵工，頭也不回跳槽去！

硬幣有兩面，看事情也是。不要一說起老細，就覺得一定是「腦細」，先入為主把各種壞標籤貼上。世上也有好的老細，你把真心和信任交付給上司，稍為有人品有腦袋的，只會相應的對你好，若把真心當草棄，互相交惡，對他本身是絕對沒有好處。畢竟山水有相逢，難保有一天大家平起平坐，或是將來出人頭地反做他的上司，到時候真的可圍爐看好戲。

3.3 變色龍變變變

如果說上一章的例子是不可輕言判斷，那以下例子可以明明確確地和大家分享變色龍老闆的故事，我的讀者一個真實的經歷：

「Son姐，我的處境是舊上司另起爐灶創業，叫上我同幾個同事一齊同佢打江山，當日佢親口應承會將公司每個月生意額10%攞出嚟分紅俾我哋幾個，另加佣金花紅。

而舊公司出動大老闆升職加薪勸留我，我都義無反顧一口拒絕！點知辛辛苦苦捱咗成年做起盤生意，但就一毫子分紅都無收過！答應過我嘅條件全部無兌現！

首兩個月唔好意思開口問，佢就側側膊，問多兩問佢就發爛渣，話成本上漲生意難做邊有咁多利潤俾花紅？睇嚟花紅一樣凍過水。我哋幾個嬲到想即刻起身走，只怕年尾搵工唔容易，始終都要供樓又要養家，又唔甘心就咁走咗去，佢欠我哋嘅分紅花紅乜都無晒。進退兩難，我哋可以點做好？」

公私不分　難共富貴

共患難易，共富貴難！這位讀者如此義無反顧，我相信他們一直是兄弟班，我更相信他老闆offer的一切優厚跳槽條件，一切講個信字都是口講無憑的。

雖然法律上口頭承諾一樣有法律效力，但即使上到勞資審裁處，各有各說法贏面不樂觀。這班被騙的讀者其實都要負責任，就是當日的公私不分，導致之後被搵笨出賣全部蝕底，處於下風。

很明顯這位老闆過橋抽板，用完即棄，根本不在乎他們的去留，或者太清楚他們的性格底牌，睇死他們沒有去路只能留，看來他並沒有睇錯或算錯。要走要留，讀者們要立定主意，猶豫蹉跎，只會傷上加傷！

「講」就信　易出事

這位老闆很會看人，更加識得利用人，只不過之前大家都是打工仔，出的是公司的錢不是他自己的錢，所以應該很闊綽，亦很照顧

他們，才會建立得到兄弟情。就是因為這班讀者太（天）真，對他完全沒有防範，才會被他有機可乘。今次這個教訓，大家都要好好記住，不要人講就信，必須有憑有據，否則就會成為一班容易受傷的男人。

打定輸數

雖說公司生意上了軌道，但畢竟只是一間新公司陣腳還未站得穩，如果讀者們幾個要是全部起身，對他對公司沒有可能沒有影響。對付這種人渣無賴，忍讓不是辦法，只會助長他的氣焰，繼續睇死讀者們不敢發他圍。

既然讀者們對年尾離職搵工如此多顧慮，先禮後兵，何不三口六面直接了當和他講清楚問個明白。不過讀者們應該有心理準備，攞足全數是沒有可能的了，要是還肯給一些或者一部份，而讀者們又願意接受的話，就必須白紙黑字作承諾，幾時幾月幾號之前付清。如果連寫都不肯寫，他只不過是重施故技，繼續拖得就拖，根本沒有打算過兌現。他要是堅持反口不肯俾，讀者應該死心了吧？行到這一步，就要下定決心斬纜止蝕。

繼續留下的選擇

讀者們究竟有沒有簽過僱傭合約？有沒有寫清楚辭職通知期？記住，即使讀者們離了職，亦不會影響在法律上追討拖欠他們所有薪金或花紅的權利。我建議他們帶所有相關文件先到勞工處問一問意見，有什麼方法可以保障他們的權益。另一方面，亦可以尋求法律意見，有什麼方法循民事訴訟為自己討回公道。

無論如何，一個言而無信出賣兄弟的人，還值得大家繼續賣命嗎？忠告一句，走為上策！

金魚腦

還有另一品種的變色龍「腦細」，上一秒自己講過的事，下一秒可以立即拋諸腦後，翻面比翻書還要快。讓人極度懷疑他們的腦容量是不是比金魚少。有些甚至「死雞撐飯蓋」話「無講過」，面皮之厚足以媲美地殼。

帶大家見識一下變色龍變色的過程：

「Son姐，我離開咗舊公司成年，當日辭職最主要原因係頂唔順五時花六時變的老闆，仲要無口齒，開會個個坐喺度聽住佢講嘅，都可以死口唔認有講過。估唔到我走咗佢都唔放過我，總之所有錯嘅嘢

做得唔好嘅嘢都係因為我當日做得唔好，留低個爛攤子俾佢。其他同事走又入埋我數，話我管理不善所以搞到雞飛狗走。真係頂住條氣，我想約佢出嚟問清楚點解做老闆做到佢咁無品！」

生性無賴

舊老闆點只無品咁簡單？這位讀者份人都算厚道。很明顯他是個無德無能無胸襟的老闆，注定成不了大事。所以讀者走得快好世界，走得好。

像這位讀者的舊老闆般的老闆其實並不罕見，一朝得志語無倫次的有，剎那光輝當永恆常懷緬過去的又有，發了達上了岸有錢就是任性的當然亦有，總之我是老闆鍾意點都得，員工個個受氣人工包埋。連他自己都不知道自己想點，很多時候都是隨口噏，死口不認不一定是因為生性無賴唔衰得，真有可能是他根本記不起自己開會或者任何時候，和誰一起曾經講過些什麼。

活得比佢好

既然知道舊老闆是什麼人，為什麼還會在乎他在背後講的壞話？讀者一走，公司就潰不成軍軍心大亂，他越是把責任往讀者身上推，

就越足以證明讀者的曾經存在對公司是何等的有價值。所以舊老闆講讀者的壞話，其實是恭維，我認為讀者應該很高興才是，有什麼好耿耿於懷？還要和他見面幹什麼？別，一於睬佢都傻，俾心機做好自己的工作，活得精彩快活就乜仇都報晒啦！

信任難以建立

一次不忠百次不用，對所有人可不管甚麼角色關係都適用。講完就算數從不需要兌現的承諾，過得一次骨的話，很肯定陸續有來。講的信口開河，聽的聽完就算，老細下屬之間全無信任可言，這間公司這份工作會有做得好的可能嗎？一個不守信用的老細，Fool me once, shame on you. Fool me twice, shame on whom? 這種老細你都能跟的話你還願意繼續跟下去？你是傻的嗎？

動物份工室

3.4 綿羊上司無 SAY NO

遇上不認前賬的上司固然倒楣，但遇到「臉善」如羊的上司又如何？

「我呢間公司樣樣都好，唯獨是直屬上司好鐘意『幫人』！我除咗要處理自己team的工作，仲要應付大大小小其他team的工作。直屬上司永遠唔會say no，只要其他team唔想做就會推過嚟。

上司認為家家有求，唔好斤斤計較，所以即使我地已經做到日日OT，都仍然被直屬上司賣出去幫人。在於我角度，工作係責任，唔係　個需要賣帳／以物易物的藉口。每次一有同樣情況，我就會做到好心灰！」

又一位迷途讀者曾經向我求救。

膽小怕事？

話分兩頭講，事有兩面睇，我請大家代入上述「做餐死」的小角，你那直屬上司總是幫人不惜賣下屬買交情，究竟是因為他是一個廢人蠢人膽小怕事不敢得罪人，即使知道下屬委屈亦只敢忍氣吞聲的人？還是只要自己永遠做好人根本不理下屬死活，反正做死的只是下屬，樂得做順水人情賣交情的人？

如果是前者，你真心相信他只是無能不敢say no，就直接找他出來當面講清楚吧！反正這份工作你幾鍾意也好，除非你是鐵打的超人，長此下去無止境的工作狀況你可以繼續撐多久？以有限的時間人力物力去做無限的事，成績結果只會越做越差，賠了夫人又折兵只是遲早的事。

隨時做代罪羔羊

如果是後者，他根本無良，講出來的所謂理由無非為自己打圓場，你們在他眼中只不過是可任意被差遣，來為自己討其他部門歡心的工具，你繼續做下去情況只要不再變差你該要劏雞還神。如果你真的這麼喜歡這份工作，就只能硬食死頂接受這是現實的事實。

我只想提醒你，無論你做得好還是做得不好，你要不是為其他部門作嫁衣裳，就是可以為其背黑鍋的工具對象。你這份工作究竟如何怎樣好，值得你不斷挑戰自己的忍耐極限去「包容」？

3.5 狗上司吠吠吠

曾經有一位讀者向我求救，從字裡行間已經充分體會到他的苦況：

> 「我就快俾我老闆逼到發癲，其實唔止我，我全公司同事都係，日日
> 返工返到提心吊膽，最怕見到佢，在公司入邊鬧到算，但係不論時
> 候地方有乜嘢人在場，他一個唔鍾意都可以隨時癲狗上身破口大罵
> 講粗口鬧埋我地祖宗十八代。
>
> 近期更加變本加厲，一大朝早企定公司門口等我哋返工，總之見到
> 邊個唔順眼就全部一齊鬧，可以唔停口鬧足一個鐘。我哋個個都想
> 走好耐，但最衰行頭窄，而且我哋個個都唔細，都喺度做左十幾
> 年，再出去社會仲邊有競爭力？要搵份差唔多人工嘅工好困難，被
> 逼繼續喺度忍。以為佢年紀大咗火氣會有啲收斂脾氣會無咁差，點
> 知佢人越嚟越衰把口越嚟越賤。」

捉住下屬鬧足一個鐘，想起都恐怖，大家都不用做野，就是純讓他
發洩？這間公司的辦事效率可以有幾高，不用多說大家都心照。這
個上司或許有精神病，不發洩不舒服，要不就是認為自己是大帝，

裙下臣子全部要唯命是從。

不過又咁講，弄至今日的局面，讀者與他的隊友們全部人都有份一起一手造成。這位老闆之所以可以越嚟越癲，係因為得到他們的無止境「包容」所致。

老細認為人工包「受氣」

我有理由相信他們之所以肯一直死忍，是因為人工比外面高值得忍，結果搞到今日田地。

既然清楚行頭窄，他們搵工難時，這位老闆要請人何嘗不是？他們除了轉工還可以轉行，但這位老闆不能，照道理應該是老闆買他們怕才是，怎可能反過來被老闆「食住」？我完全看不到他們還有和這位癲老闆有任何討價還架的餘地，他們不是習慣了逆來順受的嗎？對老闆來說，受他的氣是工作一部份人工包埋的，十幾年來都是如此他為什麼要改？

解救方法只有一個，大前提是你們必定要夠齊心，就是全部人一齊辭職唔做玩起佢，逼他站出來求和認低威，否則成間公司跪低。除此之外，別無他法！

3.6 如何成為獅子王

有誰不想做萬獸之王，更何況是家族生意，自然就更想繼承家業手執牛耳。但人人都是老臣子，如何從空降兵變成讓大家順從的領頭獅，卻是一道難題。

> 「Son 姐，我讀書成績不錯，工程系畢業，正修讀管理碩士課程，因為想接管父親的生意和不想做敗家仔。我以往做的工作，上司及老闆都稱讚小弟努力勤奮，老實及務實。但升做管理層就失敗了，因為主要工作是見客及管理，而我的性格是口直心快及不擅交際，失敗是合理的。所以我在這十年是在基層遊走。主要問題是父親於這三年內退休，我亦想接管他的生意。三年內需要學習什麼去做一位老細？如何改善我的不足？一子錯，滿盤皆落索，小弟錯了很多次，今次不想更成大錯。」

性格缺點不是藉口

這小伙子想要補不足，做好管理的角色，首先要學的是讀人和用人之道，否則讀幾多個工商管理課程，都不會懂得如何做管理。如果

心直口快不善交際是他的（可能同樣是你的）性格的缺點，就要想辦法克服，不是理所當然以此作為擋箭牌。

做老闆幾時都要以德服人，我們都可先問自己何德何能何以服人。父親是如何對待員工的？員工又為什麼願意為公司付出賣命？高層員工會不會願意教接任的下一代，扶持尊重接班人？父親的那一套，後浪不一定要跟足，兩代的看法和經營方法有可能大不相同。

善待員工

不要急於求成，毋須自揭底牌，沉著應付，眼觀四方，耳聽八方，看得更多更透徹。即使是明知欽點的接班人，無論如何改不了接班人是新人的事實，滿招損、謙受益，要不恥下問以禮相待所有人。

Character is destiny，改變命運由改變性格開始。心直口快不是口沒遮攔的理由，不善交際不是缺乏親和的藉口，自欺欺人只能自欺，欺不了人。不必急於表現自己，例如這位讀者就應該好好把握和父親並肩學習的三年機會，善待員工，捲起衫袖和他們一起拍住上，日子有功，有心得，得人心，自然得天下。

3.7 BAD MOUTH

世上無人可以令所有人喜歡自己，在職場上更加要時時以此提醒自己這個不變的真理。我常常說，「把口生喺人地到」，人家要怎樣亂說，你怎樣管得來，我們只管管好自己的心，做好本份。

情境題，如果你是以下讀者，你會如何做？

「我是中層管理人，上一份工作因不適應公司文化，與其他部門或老闆發生衝突，毅然辭職。很快找到新工作，但由於需要長期出國，不能照顧家庭小孩，此份工作是權宜之舉。最近有一份工作找我Interview，自覺不錯。但他們和我對上幾份工作都有聯繫，認識我的舊上司，所以有致電給舊上司查詢我的工作表現。之前的上司對我的工作表現稱讚，事後亦有致電給我說明並祝福。但有舊同事告訴我他聽到前上司向新工作的主管說我的壞話，不知是否這原因使我落選了。往後再找新工作應如何處理此情況？」

盡早抽身

管理層是夾心階層，做人處事EQ加AQ都要高。職場行走，好來不如好去，不管誰是誰非，拍枱起身走人是最不聰明，對自己最無利的做法，其實絕對可以避免。知道不適合就應該馬上搵工盡快走，不應該忍到自己忍無可忍，到自己不得不反抗結下仇口，留低一大堆牙齒印，懷着憤怒帶着怨氣反面走。

因為走得急，始終要照顧家庭顧及一家大小的生計，只能選擇最就手最快的一份工作，而不是一份真正理想可以好好建立事業的工作。奉勸大家要以這位事件主角為鑑，大脾氣的務必好好學習收斂脾氣，做人做事都不可以如此不成熟又衝動，要深思熟慮，還有深謀遠慮。代價付了，學費交了，教訓一定要吸取了，否則就是枉費白交了！

針對以上的讀者的情況，如果他的新工，因為一位舊上司講其壞話，無視其他舊上司對他的工作表現讚賞有加，決定不請他，這份新工不要也罷。說實在，我不相信這是他唯一或者關鍵的落選原因。日後再見新工，先自行坦白表白當日是因為適應不了，和老闆

上司有磨擦所以決定走，詳情記住不講就OK。事過境遷，不必耿耿於懷。

舊老闆的誹謗

說到Bad mouth，以下的讀者的舊老闆便更離譜：

> 「因為和老闆意見不合，早幾個月前決定離職，但走的時候大家客客氣氣，我都希望日後可以好相見。自問我為舊公司立下不少汗馬功勞，由我負責的項目沒有一個甩過拖有手尾要其他同事或者老闆跟。但老闆以超低價接了一個根本不可能做得好的項目，他要賣交情願意蝕錢我可以照做無問題，要我偷工減料將貨就價無論如何我做不到。如果老闆硬要我接我寧願唔做，所以辭職。那個超低價項目搞到烏煙瘴氣，結果如我當日所料是殘局。本來唔關我事，但同行及舊同事都唔抵得特登找我話我知，舊老闆竟然無恥到把所有責任推在我身上，說項目是我話接的，留低爛攤子要佢食死貓執手尾。咁樣直情係誹謗，以後我點在行業立足？我想討回公道，係唔係應該告佢？我想聽Son姐你意見，如果係你會點做？」

認真便輸了

我常常同讀者講，一時衝動好易做錯事。被冤枉的滋味當然不好受，但我以過來人的身份告訴大家，告人誹謗很容易，但要舉證入罪不容易。即使你是提告人不是被告，過程中要承受的種種包括經濟上的壓力，會令你及全家上下極度困擾兼難受。

很明顯這位舊老闆死要面子，才會把一切過失推在一個經已離職幾個月的舊人身上。不如換個角度看，如果這位讀者的行家及舊同事確信是你接錯項目害了舊老闆，還會爭相來告替他不值？每個項目接與不接的最終決定權，沒有人會不清楚是在他舊老闆的手上吧？其實他越講得多對這位讀者越有利，只會更加突顯舊老闆的無恥及無能，大家會替這位讀者更覺不值。

值得為這種人這種事動氣嗎？你認真，便輸了！專心做好自己及工作，心安理得過日子最實際。流言蜚語徒亂心神聽來幹什麼？

神上司秒殺扮工人

早前Facebook page「奴工處」有個POST好Hit，叫「#表錯情同事系列」，大致講述有位同事日日「扮OT」博表現，而上司在Whatsapp群組回覆，贏得不少網友掌聲。這位上司出色的回覆，無形中為打工仔出了一口氣，這位上司即成為不少打工仔的理想型上司。

這麼出色的事件，Son姐我又怎會錯過分享，在這裡與大家重溫事情經過：

> 「刷鞋仔同事常常扮OT，夜深時分在WhatsApp群組傳自己一個人正在加班，要加油之類的說話，前上司對於這一套非常受落，但奈何新上司卻是位精明眼。用一句秒殺：『如果公司安排過量工作而人手不足，請向我反映待處理。如果工作適量但你需要每日加班，請檢討你的時間管理能力。還有，沒有人想深夜仍收到有關工作的訊息，這是最後一次。』

又有一次，上司在工作群組叫刷鞋仔同事做一份急件，大約會花一小時左右。同事卻表示自己『好多嘢做』，上司就問他手頭有甚麼工作。一小時過後，同事就回覆一大段文字，當中列明過去的工作日，每一小時在做甚麼。

精明上司又再一次回覆：『過去一小時，你本來可以完成這工作，但你選擇用來回憶過去幾日的工作，怪不得你今天需要加班，真感謝你的付出。』☺」

精明上司和刷鞋仔同事之間的妙問妙答，令不少網民拍案叫好，紛紛表示，終於有一位看透世事的好上司。

後來這位勇於分享的員工問了一些問題，我認為也值得大家思想一下。他請教大家，既然如此，為何這位刷鞋仔仍然留守，不找工走？而這位上司明明看透這位刷鞋仔，為何不炒了他？

其中有一位網民的留言，我覺得頗為有意思：「一間公司總要留低啲不知明物體，要嚟俾同事批鬥用，咁樣其它同事會同聲同氣好多，你新老細高人嚟。」

而另外，刷鞋仔為何還不醒水辭工，原因好簡單，靠刷上位的人，辦事能力可以有多高，叫他走？他能走到哪裡？既然這裡還能容納到他，為何他要辛苦去找工呢？

第4章
管理
各樣品種下屬

一樣米養百樣人，面對各樣品種的下屬，不可能用同一套的管理方法，有的受軟有的受硬，有的軟硬都不受，只要feel good，或者講多無謂，一切只是向錢看。莫講是上司，即使是俾錢出糧的老細都有學不完的功課。在講求team work的今日，想公司好業績好，達至最高生產效率，能夠管理好非一般強勢下屬，就要看做老闆做上司的功夫和功架，記住這些責任，確實責無旁貸。

4.1 誓不斟茶

做公關，被客請食飯或請客食飯都是日常
慣事，招待客人或被客人招待的款客待客
之道，最基本的以禮相待不可能不知道吧？
做人做事要八面玲瓏話頭醒尾，毋需多講了吧？
話說一位年青人，儀表口才語文學業各方面都很OK，
雖然沒有相關的工作經驗，總算在職場累積了幾年經驗，公關阿姐
馬上拍板請，真沒想過最後竟然是為了斟茶斟出事。

合約不包

第一次是帶他出去飲茶見客，由客人做東請客，席間他的表現中規
中矩正正常常，只是從未有為客人或任何人斟茶。阿姐主動出手，
希望做個榜樣他會醒目接手，只見他安然接受，唔該都無句，阿姐
雖然有所不滿，但當場沒有表露只記在心中。另一次是阿姐做東請
客食晚飯，手下的同事當然都要出席，只見年青人同樣翹埋雙手等

其他人幫他斟茶。阿姐頂住條氣忍不住拉他埋一角講清楚要他好好招呼客人，包括斟茶。

年青人當堂黑面加不屑，發脾氣反問阿姐為什麼要他斟茶遞水？這應該是侍應做的下等事。講完自行返回坐位，舉手叫侍應過來，毫不客氣吩咐侍應為他們所有人斟茶。阿姐嬲到想叫他即刻走，但礙於場合，只好死忍，準備送客之後留他下來才省他。

一走了之

可惜阿姐沒有這個機會，年青人食到一半經已失蹤不見人影，起初以為去廁所，同事找他不着打他手提，獲告要他做侍應做的事實在太委屈，他實在吃不下去，為了顧全阿姐面子不令場面尷尬才未有驚動任何人，默默地起身走人就算。

老實講，公關阿姐打定輸數，年青人如此有性格明天應該會請辭或者索性失蹤。沒想到第二朝年青人上班如常若無其事，阿姐請他入房明確告訴年青人，他昨天晚上不辭而

別丟低客戶不管，是魯莽及完全不負責任的行為。年青人不服反問阿姐，請他的時候從來沒有提過工作範疇包括斟茶遞水這一項，他覺得非常委屈兼侮辱。能夠忍得住不動聲色離開，他覺得自己處理得非常漂亮。

阿姐坦白告訴年青人，公關這口飯不合他這麼有性格的公子吃，勸他找過另一份工。年青人堅持他沒有做錯，經過昨晚一役他更確定自己是個公關人才，他為甚麼要轉工？既然如此無謂再糾纏，阿姐寧願賠錢即時解僱年青人，叫他馬上執包袱走。年青人說這是無理解僱他絕對不會罷休，必定告上勞工處追究到底。阿姐笑說悉隨尊便！

誰的錯？

過了幾日，阿姐收到年青人父親的電話，懇求阿姐給他兒子多一個機會。他說從未見過兒子如此認真地上班，原來年青人之前幾年的工作經驗，只是掛個名在他爸爸的公司上班，實情是其實沒有怎麼上過班。阿姐一口拒絕，坦言不敢高攀。那父親竟然Offer阿姐一個免費僱傭全包宴，兒子的薪水福利一切開支他負責，公司只需給個位置讓他上班，只要不用斟茶遞水就得。阿姐嬲到掟電話。想深

一層，年青人其實是個受害人，是甚麼樣的父母，就養出甚麼樣的孩子。

員工佔上風

僱主僱員之間的關係，其實佔上風的永遠是員工。員工不高興隨時可以辭職走人，老闆的業務不可能不高興就隨時倒閉執笠。

公司請人難，請個有責任心的難，請個對工作有熱誠的更難，請個把工作視為事業的難上加難。最怕的是請來的員工和當日面試的雖然是同一個人，但上班之後才知是個講和做是完全兩回事的人。只要員工做事有首尾有交帶，能把工作做好做妥而不是做吋就算，經已是個難能可貴的好員工。老闆也好上司也好，最怕的無非是員工「說了不聽，聽了不懂，不懂不問，問了不做，做了做錯，錯了不認，認了不改，改了不服，不服不說。」

兩敗俱傷

還有令很多管理層頭痛的，是即使是英國大學的畢業生，英文水平一樣低落。最基本如寫封簡短email，文法錯、串字錯總之錯漏百

出。做 PowerPoint presentation 抄 template 都算，但就連抄都抄錯抄漏，連 proofread 都懶得做，send 咗就是做咗。有做上司的善意提點下屬應該查字典不是查 google translate，被下屬以「唔識查字典」回應。

另一大頭痛位是員工做人處事極度個人化，只用自己的角度作考慮判斷，再加上情緒化，不要講到被斥責那麼嚴重，被問責一樣不高興，發脾氣即場拍枱掃 file，老闆還要出來打圓場。老闆員工，上司下屬，兩敗俱傷，如何共贏？

4.2 佛系樹懶

樹懶，佛系生物。很多人以為樹懶的「佛性」是天生的，殊不知，樹懶行動如此慢，是因為要躲避鷹的精準狙擊，用依循生物的本能演化過來的天性，看似蠢笨，其實是最聰明。

以下就是一位「讓我懶」下屬的心跡：

> 「Son姐，最近我部門擴充，需要加多個主任級職位，本來我一心諗住難得有機會，梗係留返俾我自己嘅下屬，所以人事部問我要唔要登報紙請人我都一口拒絕。真係估唔到諗住俾機會佢，佢竟然話無諗過，拒絕升職！
>
> 唔肯升嘅理由係因為唔想「孭飛」負責任，就算加幾千蚊人工都係得不償失。佢話佢淨係想無牽無掛做返依家日日做慣做熟嘅嘢，唔想辛苦又要學習又要管人，多咁多野做，總之一句講晒唔想煩。
>
> 但係佢又成日希望加人工，如果唔升職人工加得幾多？但有機會升職加人工佢又唔肯，我真係唔明佢究竟點諗？」

一廂情願

看得出這位上司對這位下屬的工作表現滿意肯定,並且一直有用心教導,很希望盡力提攜。不過這位上司今次的失望,是他自己的一廂情願造成的,怪不得樹懶下屬。其實這位下屬是個什麼人,這位上司似乎根本不清楚,因為下屬經常提及想加人工,他就以為下屬想升職?是上司表錯情搞錯了!不過上司還是應該慶幸,下屬願意向他坦白交代表明心跡。上司要吸收今次經驗,日後和所有下屬溝通應該把話說得問得清楚明白,不要再自以為是。

不是人人想上進

如果是早幾年收到這位讀者求救,我肯定把那不識好歹的下屬罵個狗血淋頭,我會非常之替這位上司不值。不過今時今日,我不得不與時並進,認同不認同也好,今日對每一個人的意義本來就不一樣,不是每個人都需要有進取心上進心,不可能都像當年我們初出茅廬的時候,總希望步步高升出人頭地。

整個職場生態環境根本完全顛覆，想當年人浮於事想搵份工幾咁艱難，如今有工無人做，只要肯做想搵工幾咁輕易。活到老學到老，我們不能一部通書睇到老。

做上司，好難做！

夾心人

夾心三文治，左右不是人。以下我的讀者的分享，會不會是你曾經的經歷？

「我一個月前入職新公司，管理一條10人team。先前我並未有管理經驗，加上現職涉及一啲我以前未涉獵過嘅範疇，新工算係人生一大挑戰。Team中大部份係職場新人，所以我有需要依賴年資最長，同我差不多年資嘅下屬。

但呢位下屬可能覺得我搶咗佢升職機會，就算我不恥下問佢都只會推托敷衍帶過，有咩事更唔會主動匯報，同其他同事或部門合作上甚至會架空我。另一方面，上司期望我加入可以加快推行新政策，所有高層都係之前收購時換咗嘅新人，向上看暫時睇唔到有咩幫助。我經已好努力，但靠自己摸索，得唔到上司幫助下屬又唔合作，夾在中間兩面不是人，實在令我有啲洩氣，為自己擔心。我應該點做？」

兩頭唔到岸

這位新紮管理層之所以力不從心兩頭唔到岸，因為他轉了新工作新崗位新角色但未有用新思維、新方法、新觀念，新態度去配合。如果上司看重的是管理經驗，會不會請他？公司上下所有人幾乎都是新加入，上司亦講到明期望他可以幫手盡快推行新政策，但他竟然會依賴年資最長、做得最長的舊員工幫他？一開始就錯的方向是不會走出對的路，如果他真的缺乏自信又認為自己力有不逮，為什麼要接受這個挑戰？

撥亂反正

做得管理層，應該清楚是三文治的夾心，對上對下一樣有壓力。但一份三文治究竟憑甚麼定價？講到底就是「夾心」餡料，先問問自己，究竟是甚麼材料？作為管理層，就要有膊頭擔得起大旗揹得起責任，不是期望高層可以給自己幫助、下屬可以提供協助。

這位讀者要好好把握還是個新人的身份，盡快撥亂反正，和上司建立密切溝通互動的關係，盡力配合公司新方向發展。那件舊傢俬，要來作什麼？

強勢下屬

遇上比自己強勢的下屬，怎麼辦？

先看看弱勢上司的難題：

> 「我係一間公司內的行政主管，需要管理年齡同經驗比自己豐富嘅員工。兩個難題想請教你，一）是下屬們關係唔和諧，互相推卸責任同工作，大家時常吵架；二）是下屬強勢，我自身又不夠自信同氣勢，未能令佢哋順服，令工作時未肯服從指示。我依家會同佢哋單獨面談，嘗試了解，試用軟性方法（我慣常用），唔得就硬方法逼佢哋或者串下佢哋。我覺得自己做事太柔軟、唔夠果斷、太顧及他人感受（唔太懂得要適當嘅衝突）、工作唔懂得抽離（時常帶了情緒返屋企）。」

如果你是以上這位弱勢上司，如何走出困局？

管理忌一時一樣

管理之道，首先要管和理的，究竟是什麼？一班年齡比你大經驗都比你豐富的員工，為什麼需要你管理？

我不知道以上這位上司是誤打誤撞，還是蜀中無大將的情況之下，被擔當上這個行政主管的職位。不夠自信當然不會有氣勢，不要以為靠擺個氣勢架勢出來，就可以鎮得住場面令員工順服聽命吧？同事敢互相卸責，敢不把他放在眼內，是因為知道他根本無計可施，奈不了他們如何。

願意花時間和每個同事面談解決問題，本來是好事。但這位上司問來問去問不出所以，講來講去講不出解決方法，角色轉換，你的上司要是如此對你的話，你會順服嗎？作為上司如果未能為下屬排解困難，其存在就是多餘。管理最忌一時一樣，這位上司一時說會軟性嘗試了解，慣常技倆下屬看穿睇透當然當他無到。當這位上司老羞成怒就用上司的身份壓迫，為飯碗被逼就範你就留低一身牙齒印仇口，令其工作難上加難。

擺款無用

很多人會以為做上司的工作能力必定要比下屬出色，光芒一定不能
夠比下屬蓋過，大錯特錯！這證明了身為上司的不夠成熟，缺乏自
信心，對公司、老闆和下屬的信任都不夠。每個崗位職位，本來各
司其職都應該有職責和價值，對下屬來說，上司的職責和價值，應
該是甚麼？遇到一個比自己強的下屬，可以是夢寐以求難能可貴，
亦可以是惡夢惡鬥連場的內耗。正所謂知己知彼，百戰百勝，你會
覺得他強，只因為你弱，他的強對你構成了威脅？還是你一向表現
平平，害怕下屬會取你而代之？

在職場行走，好勝好強心口掛個勇字衝出去，能夠會有好下場嗎？
尤其是現今職場講究的是team work，單人匹馬單打獨鬥有幾多條
命夠死幾多次？這些道理，一個負責任的上司，應該好好為下屬分
析講清楚。下屬的工作表現得以提升，團隊部門的成績業績自然越
好，證明上司的功力能力都高，所以一定是win win。

為下屬解難

但如果只是擺上司款，自以為是高高在上恃勢高壓，強權凌人指令下屬做事，只會指責挑剔，毫無建設性領導性可言，不管下屬強或不強，總之沒有人會服。相反，能夠指出指正下屬錯處，提供改善改正方法意見的上司，即使如何不留情面直斥其非，下屬一樣會服，我敢說是個人版。即使出言有所不遜，我的下屬同事，對我都尊重包容有嘉。

講到底，只要有德才能真正服人，宰相肚內能撐船，大氣的人自然成大事能服人。

4.5.
狡猾狐狸

一直信任的下屬，原來是隻狡猾的狐狸，被推心置腹的他狠狠出賣，感受當然不會好：

「真的有眼無珠，一直以為在老闆面前搬是非嫁禍令我不得不走的，是和我一向不和的死對頭，只怪自己學藝未精。最近在一班舊同事飯局中知道真相，背後耍手段置我於死地的，竟然是一個我一手栽培，我走都要出盡辦法保住扶上位的下屬。我離職之後他一直找我問，應付以他能力根本應付不來的種種問題。我很痛心，更加不憤一直被他利用，想當面拆穿他的西洋鏡偽君子的真面目。」

當面質問無作用

以上的人和事，我這種職場老手見得多的是，這位上司都認自己學藝未精，不是應該好好吸取教訓上一課才是的嗎？這位上司表示想當面質問舊下屬，我要是他我都不會認，他要是死口不認，能奈他

如何？飯局中的談話要是公開了，是對在座的所有舊同事不義，如果他們還在一起共事的話就更加大件事，給了這位機關算盡的舊狐狸下屬太多可以大做文章搬弄是非的機會。被恩將仇報，心痛生氣人之常情，但總不能蠢完之後再傻多一次，還要連累無辜的對嗎？

繼續扮傻

大家想想，罪魁禍首是這位上司的卑鄙下屬，還是他的舊老闆？大家有沒有想過，當日這位上司是有罪之人，他的老闆竟然願意提攜升其極力舉薦的得力舊下屬？整件事即使不是打龍通或者串通，肯定是這位上司不知怎樣如何得罪了他的老闆，老闆根本有心要除掉這位上司，所以其下屬的卑鄙奸計順水推舟才有機會得逞。狐狸之所以能夠上位，其實不關這位含鬱的上司的事，不過這位上司確實是成全了他。

根據我的慘痛經驗經歷，擺到明不和的死對頭即使背後插你，都不會輕易插得死你，因為個個都知你們之間的牙齒印。插到你死的，必定是你最意料意想不到的身邊人。我要是這位上司就繼續扮傻，好過睇周星馳，根本不值得為這種人動氣。

4.6
笑騎騎放毒蛇

如果你身為一個主管，你真的相信和下屬同事真的能相處無間？表面的融洽是真心還是假象？怎麼知道他們對住你和顏悅色，背地裡不是笑騎騎放毒蛇？

曾經有一位讀者的情況是這樣的：他在一間公司做了數年，已屆主任級，後來被調升至亞洲區主管，被調派到新加坡。他指出，同事們在他面前大家關係融洽，好像好 nice 好 close，但在他背後會說他很多不是的地方，他不明為什麼會出現這樣的情況。

小心提防「是非人」

我有理由相信過去十年這位讀者的工作即使不是一帆風順，都應該非常暢順，和上司同事下屬都合作得很好，沒有遇上太大的挑戰和衝擊。因而對後來的升遷調派掉以輕心，才導致出現誤差及控制不了的局面出現。

即使同屬一個集團，各處鄉村各處例，各地的風土習俗民生民心都不同。不論是做生意的法規和管理的法則，當然都要重新學習適應，不斷作出新嘗試，不可能把香港的經驗照板煮碗搬過去，以為搞得掂或者行得通。

來說是非者便是是非人，這位讀者初來埗到，對人對事都未清楚必須要小心提防。但不管來者善與不善，講的確是實情，那很明顯他和同事之間經已有芥蒂，身為主管未能顯示駕馭場面局面的功力，亦未能展示出主管對公司內外的存在價值。

想辦法修補裂痕

身為主管的，無論甚麼情況都要冷靜，找出源頭分析問題癥結所在，面對自己的失策失誤。一定要盡快想辦法修補經已出現的裂痕，不能任由情況惡化，以至繼續上下分化至不可收拾的地步。

毒蠍子

今時今日做老細，做出糧那位都要受盡員工脾氣，甚至過氣員工都不願放過自己，都認真夠灰。面對本性惡毒、不害人不中傷別人就不安心的毒蠍子們，老細應如何明哲保身？

舊員工陰魂不散

我的一位讀者，是一間中小企老闆，請著一位做事不認真，三番四次出錯但從不認錯的員工，鑑於請人困難，老闆一直忍忍忍，屢勸不改唯有投降，賠足錢把他送走，怎料蛇蠍員工走後陰魂不散，相約同事們繼續唱衰公司及老細，老細深感影響公司士氣，甚是谷氣，問我如何是好。

我教人如是，自己如是，大前提是活得比佢好就好了，嘴巴在人家面上，你管得了？

這位老闆讀者必須要清楚知道，員工和什麼人交朋友他們有絕對自由，離職舊員工繼續和舊同事見面做朋友，他喜歡不喜歡、接受不接受也好，根本阻不了管不着。作為老闆，心思心神應該專注在該管該理的事，否則就是多管閒事。硬是要過問的話，就正中舊下屬下懷，即是中計，越描只會越黑，越問只會越多是非，反而推波助瀾沒完沒了。

即管和員工傾傾

唱衰你中傷你，無非就是想搞亂公司，舊員工講的當中要是有些少真的，在上的都要有胸襟，汲取教訓痛改前非。如果根本無中生有，照正常道理還在公司的下屬該不會如此白癡盲目相信一個因為經常犯錯被離職的舊同事所講的話吧？有危就有機，是非沒完沒了的時候，何不趁機和同事們坦誠真誠地好好傾一次，有什麼疑惑顧慮儘管講即管問，學做一個開明好老闆。

只要光明磊落說到做到，誰能動你及公司分毫？

布下歹毒錄音局

不過講到毒，真的一山還有一山高，以下的主角連錄音局都布好，
問你點防！

我的讀者冤情是這樣的：

「數月前我請了一個國內背景在香港讀 master
的 90 後。要求人工很高，惜入職後發現其主
動性、行動力，執行力全部強差人意低水平。
原本一番好意善意提點，講不到幾句她就哭，反指責是我
不給她機會要求高，是我故意挑剔影響她的工作表現，然後說辭
職！我連反駁都費事，反正事無大小交到她手中沒有一件不出錯，
算了吧！只是沒想過她原來一直偷錄我們的對話，想辭職時向大老
板投訴整死我，好彩當時我沒有火遮眼，否則隨時一身蟻！」

各位主管看完這個個案，是否
心都寒？這位國內 90 後
深思熟慮擺明設局，
這位毒蠍下屬心腸歹

毒好邪惡！但即使整死上司，她都沒有能耐能力坐上上司的位置，擺到明是「我死都要你陪葬」的攬炒格局。看來她對這位讀者上司不滿不是一時三刻的事，只不過入職短短幾個月，因乜事咁大仇口？

有些事永遠不需明白

我知一講中港矛盾肯定政治不正確，我說是和文化差異有關的話，大家可會同意？當然香港人、國內人、中人，西人都有好人壞人，但成長背景差異，受環境影響薰陶，打造出來強國獨有的別樹一幟思想思維。我自問聰明，一樣唔明。

不管職位高低，人與人之間相處，無非尊重。互相合作，講求信任。人夾人緣，合則來不合則去，職場如是，人生亦如是。真心話，有些人有些事，真的不需要明，最好永遠都唔明。是他也是你和我，對大家都是好事，留點空間餘地，俾條生路自己行！

4.8
Old Seafood+c9

老闆要你空降管下屬，面對 Old Seafood 及 C9 下屬，出現很多個黑人問號，係你點算好？

> 「新工作是一個副主管職位，老闆希望我能接替即將退休的主管。但我對新工作完全陌生，每天都在摸著石頭過河，大部分工作都是一個問號。我明白自己在『管理』這方面超弱。我自己 multitasking 無難度，但規劃工作給下屬完全不知應如何分配，做到自己氣咳。我應該怎樣分配給新人？看得出主管並不太 buy 我，嫌我無經驗，我如何能在短時間內得到主管的真傳？怎樣管理好我的下屬（有數個是 Old Seafood C9）？同時又可以 fight 低另一個虎視眈眈「老行尊」？我亦希望讀個 degree，勝算是否會好一點？」

做好準備

本來應該恭喜這位讀者找到新工作之餘，還有一個經已擺在眼前的

晉升空間及職位。但是這位讀者的狀態及心態未打先輸，既不積極亦不進取。經驗只能靠實踐累積，返這份新工作前應做好準備裝備。

管理之道，由管理自己開始，明知這個是弱點的話便應想辦法學習補救，而不是不知所措。事有緩急輕重，初來埗到，最重要的是了解日常工作，務求盡快上手，要向主管虛心求教學習，還有和同事好好溝通，管理上司和管理下屬各有板斧但同樣重要。Old Seafood 及師奶下屬不一定就是惡夢，只看你有沒有能耐令他們為你所用。

這個例子裡，如果老闆要的是主管的真傳，老行尊一早上位，請讀

者這個新人就是希望新人事有新作風。應付工作讀者尚且都如此疲於奔命，何來時間再讀多一個degree？既然正打的是硬仗，紙上談兵有什麼用？真要讀，就好好學讀人！

世代矛盾

管理不同世代員工這一個是幾多世紀世代都講不完的話題。共通點有一個，就是永遠沒完沒了的一代不如一代，造成世代之間的矛盾紛爭及越見極端的誤解。

之前英國BBC推出的新人帶舊人，很值得各位舊人前輩老闆管理層參考反省。Mentees and Mentors的關係，自盤古初開以來，幾時都是新人向前輩，學生向老師學習。因為以前的工作工種，講求的是技術的承傳，講究的是經驗的累積，是背靠過去放眼將來。因為經驗永遠是對的，後輩要從前輩走過的路上揣摩學習，所以有師徒制，講求尊師重道。

以前日子生活都艱難，絕大部份都是重複體力勞動的工作，手停口停，吃得苦中苦方為人上人理所當然。今時今日科技發達，生活條

件和昔日根本不可相提並論，重視的是創意，幾天馬行空都可以，成功不需要有跡可尋，可以由一個簡單的念頭開始。以前一家十幾口等閒事，孩子們自小懂得自食其力要當家，為了生存根本沒有選擇權。幾難捱都要死捱，幾難過都要撐過。和今日每個家庭生育一個起兩個止，孩子個個未出娘胎已備受全家上下寵愛呵護，根本不可同日而喻，完全沒有比較的必要及可能。

放低成見

我們小時候被父母被老師體罰是家常便飯，沒有人會覺得有什麼大不了。今日即使父母出手教訓親生子女，都要負刑事責任。若然有老師敢出手教訓學生，除了家長絕不罷休，輿論亦絕不會放過。互聯網威力之大，真正無遠弗屆，事無大小圖文並茂，莫講全城，頃刻間全宇宙皆知。這是一個 IQ 高 EQ 低的年代，如果管理層不能放低成見，依舊死抱當日自己出茅廬之時的學習和經驗得來的方法，照板煮碗管理下屬，夏蟲語冰的結果，是溝通唔到講極唔明，只有把距離越拉越開，隔膜只會越來越闊。

江山代有人才出，一代新人勝舊人，一部電腦一部電話都不可能用到老的今日，強權家教式的管理，講理想重人權愛自由的年青人，

不會肯盲從附和忍氣吞聲接受。據我觀察分析所得，對付子女有一手的父母，對待員工下屬都很有一手。無他，不過是開明開放公道公正，有傾有講有商有量，不會高高在上高壓強權，永遠有你講無佢講而已。成長學習，除了根據能力興趣，還須時間耐性琢磨改善。

說到做到

十隻手指有長短，員工有高低之分，老闆上司何嘗不是一樣？管理之道，重中之重，無非是人，用人之道，高手低手，功架出手天淵之別。長篇大論的道理想當年，遠不如簡潔有力的行動示範，說到做到教下屬心服口服，才是管理的王道。工作是生活的一部份，但生命不是工作的一部份，人與人之間的相處，講究的無非尊重，還有接納與包容。

第5章 職場珍禽異獸

職場是社會的縮影，除了面對上司、隊友，下屬，當然還有很多彼此不從屬，但又要經常接觸的不同部門各路人士，例如人事部就是令人十分頭痛的其中一路對手，還有面對內地企業的對手等等，真的一山還有一山高。

5.1 HR 螃蟹打橫行

回想我的獵頭生涯，百般滋味在心頭，交手最多當然是第一線的人事部（Human Resources, HR），和打橫行的HR螃蟹過招，大意少少都會出事。

大家留意我的文章都知，我的客戶全部都是銀行及金融業，屢次交手的結論是，門越高狗越大，銀行越大HR越串，反正最終用邊間獵頭的決定權操控在他們手上，「俾生意你做㗎！俾錢你賺㗎！」高高在上，何須對我們獵頭客氣？

望也不望我一眼的阿姐

我試過見跨國大銀行亞太區HR阿姐，是個香港人，不過堅持和我講英文，談話過程中坐全程低頭不停拆那些拆極都拆不完的信，未曾抬頭望過坐在她前面的我一眼。俾生意我做的條件之一，是每個禮拜一早上去匯報，做好research, budget, forecast再加analysis，還指明要我親自主理，不得假手於其他同事，所有資料

要保密。要求咁高，以為是retainer？Sorry！只是contingency，即是請到人返埋工之後才有錢收。這單生意我最終當然沒有接。

說來真諷刺，做Human Resources的莫講人際關係，竟然連最基本的禮貌都沒有，對求職者一樣以米飯班主的態度自居，offer出手低都算，說話尖酸刻薄，彈到candidate幾乎一無是處，最乞人憎的是那「我哋銀行大大，肯俾機會你嚟學嘢，執到啦！」講到好似無人工都要仆倒入去做一樣，我們做中間人的硬食了不少冤屈。尤其是我們這些叫做有些江湖地位，直接認識主管級更高層的，更是HR的眼中釘，憎我by pass他們直接和上面及line deal，明明上頭講好晒條件拍板請，還是要耍手段玩我們來山氣，但就偏偏不肯檢討一下，何解會裏外兩面都得人憎。

擺明放飛機的阿姐

以下記兩個HR玩我的故事，如有雷同，不是巧合，歡迎對號入座。

話說我有一個非常適合亦配合老頂業務發展安排的candidate，直接跟老頂推薦火速安排見面，果然一拍即合。當場人工要求職級帶幾多個下屬一起跳槽都傾妥，之後當然由我和HR跟手尾，老頂講

明只是formalities。HR阿姐條氣當然不順，堅持根據policy她必須要逐個親自見，又不是未曾領教過，知道她必定會耍手段，所以經已很小心事事樣樣跟到足，結果還是幾乎栽在她手上。電話講好了明天的時間地點之後，她說會發個電郵給我作實，收到之後見日子錯了是後天，快要放工，怕send電郵萬一阿姐收不到搞錯就麻煩，心急馬上打電話去通知，阿姐說對不起她寫錯，叫我們照原定約好的時間就得。

結果第二天candidate和teammates準時到達，HR阿姐竟然出了去開會！她的下屬出來說阿姐全日有seminar要代表銀行出席，不可能有時間見他們。Candidate當場馬上打電話問我有無搞錯咁都得？我知我中了伏！只能請他們到coffee shop坐低飲杯咖啡慢慢解釋講清楚，還要爭取時間馬上和老頂報告此事。

對着這種阿姐打着公司policy的旗號，還要死無對證，其實大家都估到正常發展的結局。曾經栽在這些面子大過天完全不專業、置公司利益於不顧、自以為高高在上的HR手上的，對內對外肯定都不計其數。

但我可是個非一般專業認真勤力盡責的獵頭，行走職場江湖這麼多年，客戶和我即使不是好朋友都不是新相識，我做事作風為人如何豈會不知？而且如果我和老頂不是相熟加上他信得過的話，未來業務的發展方向怎會向我透露？我一向公私分明，國有國法家有家規，我一定跟足HR規矩指引辦事，不會因客戶要用我引起任何尷尬或有難做之處。所以打個電話講兩句，老頂何等聰明總之事情辦妥就得，完全沒有責怪我的意思。

反而candidate 和下屬們因為和我不相熟，認為我辦事不力搞錯時間，最初對我不是很客氣。我沒有多作解釋只是說明今次單deal直接和老頂傾 by pass 了阿姐她很不順氣，提點他們明天再去見阿姐的時候要小心，毋須多講說話，看清楚employment letter內容條款即可，不要像我一個不小心中伏。幾時都話Honesty is the best policy，一講他們就明白，反而對我表示歉意，多謝我幫忙之餘還買了那張咖啡單。

百鴿眼阿姐問到篤

另有一單類似事件，candidate和主管傾好條件之後又是循例要見HR阿哥，不斷盤問究竟為什麼要跳槽、為什麼要選擇這份工作，

憑什麼要這麼高人工，candidate頂不順起身走人。結果如何？

這位candidate直接打電話去問主管究竟是不是改變主意不想請他，否則為什麼HR會如此趕客？主管找了好一段日子難得找到一個合心水的人，下命令要HR不管幾夜都要找candidate回來把合約搞妥。

其實HR的價值，究竟是HR還是老闆不知？

HR 的價值

一連寫了幾個我和HR的一些不愉快交手經歷，但總不能一竹篙打一船人，把所有HR都歸類成為不負責任不受歡迎的人物或角色。做得專業做得好的我亦認識不少，但總體以比例來說，還是偏少。其實歸根究底，公司即是老闆的對員工的態度及價值觀，絕對影響HR的表現。

我想講的是，真正懂得HR價值的老闆及公司並不多，很多老闆都把HR當做擋箭牌，專門委派做醜人的角色，所有想say NO的，就拿出規條話HR要公事公辦還要交由HR來拒絕，自己就可以置身事外。小公司所謂政策的制定，都只是以老闆個人的喜惡為依歸，

HR即使有意見提出，老闆要事一意孤行，都沒有什麼辦法可以左右改變老闆。至於大企業，HR根本沒有討價還價的餘地，只能乖乖地看上頭指示按本子辦事。題外話，會不會是因為受了上頭氣，所以才會態度差，拿應徵者員工來出氣？

不應和員工對立

萬一勢色不對惹眾怒或者犯眾憎，又可以把責任推在HR頭上，老闆站出來打圓場做好人。講來講去，什麼公司policy說穿了不就是老闆policy？ 裁員名單我要是講全部是HR做決定拍板的，你們會不會相信？但負責向員工解釋交代被受各方指摘冷血無人性，即使狗血淋頭，HR就是要硬食！如果說女人最怕嫁錯郎，我會說HR最怕信錯老闆入錯公司。

HR和員工的關係從來不應該是對立，亦不應該只是為員工或僱主單方面著想或發聲，而是兩方面最好的溝通橋樑。但就是不知道為什麼如此簡單的道理，很多從事這個HR行業的人都不知究竟是不知，還是搞不清楚，搞到HR今日被負評如潮，和員工好像必要是僵持對立的局面，存在究竟有什麼意義和價值？

5.2 貪心的小狗

從前有隻貪心的小狗，嘴裡咬著一個骨頭過橋，看到河裡自己的倒影，以為是另一隻狗，心想只要嚇走牠，就可以要了這隻狗口中的骨頭，於是開口吠水中那隻狗，結果如何？這隻貪心的小狗一吠，口中的骨頭「噗」一聲掉進水中，貪字得個「貧」。所以在職場上，太貪真係會現眼報。

這篇就豁出去為大家講一個貪婪HR老大姐的故事。

想當年有一間銀行在行內以出得起錢不停請人，獵頭顧問費亦毫不手軟聞名，但只有幾個固定的獵頭才有機會接。嘗試透過不同途徑和HR打交道，即是我認識銀行某些高層，亦不得要領。不服氣之下向一位「入幕」的，我曾經仗義幫忙過的行家打探，不問猶自可，知道之後這種生意我不敢亦不屑做。

阿姐愛食飯愛名牌

想要有機會被選中的話，首先當然要識做人請食飯建立關係交情感

情，然後就要學識輸麻雀，還要經常買錯不喜歡不合用只能以賤價出讓的名牌銀包首飾。正所謂落場無父子，打麻雀手氣不佳就會輸錢，偏偏老大姐手氣次次好。老大姐當然不是佔便宜的人，只不過吃飯一定會點了太多餸菜吃不了浪費，唯有捱義氣要打包帶走。老大姐亦不愛名牌，只是見既然要賤賣着實可惜，蝕底一點接受。大家姐雖然年紀不小，但小姑獨處下班很寂寞，除了噓寒問暖，最鍾意有人陪，唱K食飯隨傳隨到最合意。

東窗事發從此消失

知道內情之後，年少氣盛的我嬲到幾乎想去ICAC舉報，一想到人在江湖還要搵食，只能自我安慰，又不是只得她一個客，勉強無幸福，就放長雙眼看她可以風騷幾耐。幾年之後聽到老人姐被迫退休的消息，以為這是她的結局。怎知沒多久又傳來消息，她已入了另外一間銀行繼續做阿頭，上場之後第一件事，就是把原用的獵頭名單重新洗牌，之後入選的當然是她固有的班底。

天網恢恢，老大姐一日被突然消失，原來東窗事發，銀行為保名聲沒有把她送官查辦，從此再沒有她消息！

5.3 蝦蝦霸霸

職場總有些人食飽沒事幹，唔搞人唔安心，以為自己好大，周圍蝦蝦霸霸。

關於職場欺凌，最近在連登有一個火熱的POST，一推就開足十個PO（一個PO以一千人回應封頂，即表示此話題熱度逾萬人回應）。

做人難，做打工仔更難。這位職場新鮮人在「連登討論區」分享自己剛剛投身社會卻遇上職場欺凌的慘事，她指自己一直甚有禮貌，說話前後都有「唔該」、「多謝」，有一日經理突然捉她訓話，指她每天上班都會先打卡才換衫、去廁所，但其實所有同事都會準備妥當才打卡，她只好道歉認錯：「唔好意思經理，無同事同我講過，我會注意。」豈料經理沒有放過她：「咁我而家咪同你講囉！明未？」她坦言最令她灰心的並非被經理責罵，而是同事們每天都眼見她這樣做，卻從來沒有打算當面指正並向經理「篤背脊」。

最慘絕人寰是，事主打算請病假卻被同事、經理「單打」，在通訊群組受盡涼薄說話，直接令她入職兩星期後就決定辭工。

言語暴力不能忍

我先表明立場，對所有類型的欺凌我採取零容忍政策。不論任何地方，是學校還是社會職場，用說話還是以行動，欺凌都是絕對不可啞忍、不能容許的行為。語言暴力造成的傷害絕對不會比肢體暴力小，後果同樣可以不堪設想。

在現實的職場中，總有些人心腸壞，愛好事生非，這些人真的是我生平十分痛恨的。本是同根生，相煎何太急，以上這個例子，這位年輕小夥子很難再在這公司留下去，那班old seafood是不會放過欺凌別人，那位無知的經理如是，我常常教大家揀工不如揀老細，這位經理不知所謂，不跟也罷。

各位如遇職場欺凌，不要忍，天下之大總有容身之處，此處不留人自有留人處，見多這些人幾面都唔想，無謂逼自己和他們共事。我始終相信，世上無難事，只怕有心人。做好本份，活得好，這些人連生活中的一點小塵埃也不如，唔好再記住，唔好傷身。

誰欺凌誰？

話分兩頭，又有一些自我認為被職場欺凌的個案，需要大家撫心自問一下，到底是誰欺凌誰。以下是我的一位讀者的來信。

> 「Son姐，我被職級低的同事欺負，都有辦法處理，至少senior 過佢，唔會任對方抬高自己以為我可以被佢欺負得到。但若被同事們排斥和笑，點算好？我嗰行，舊人蝦新人蝦到好過份。但無諗過，公營機構係咁，私營都係咁。我雖然是新加入，在我眼中舊人都是普通文職打工仔，我是專業人員，都俾佢哋笑？因技術與流程無過去的咁複雜，我做兩日就上到手。而且佢地笑我嘅嘢，傳到公司所有人都知，我覺得很唔舒服。自問無做任何唔好的事，最重要我係做到嘢，但覺得欺凌太甚，離職了！」

根據這位讀者所講的處境情況，在我看來是他和同事的關係相處出現問題，和其性格待人接物態度有關，和被欺凌似乎扯不上關係。

各位也不能把責任推在被同事欺凌就心安理得，其實自圓其說。態度思維不改，將來繼續搵工不管做的是什麼類型的機構，同樣問題一樣會不斷發生，都一樣沒有辦法做下去。

同事不是朋友，更不必成為朋友，不管職級高與低，上司下屬同事之間要建立的，是尊重不是友誼；要講究的，是對工作崗位的價值和貢獻。公營機構着重職級輩分，如你自己所言，低級同事怎敢欺負職級高的你？但你恃住自己職位比人高，資態高不把低級同事放眼內，在他們眼中你就是在欺負人。公營機構人多口雜是非多，毋須多講了吧？凡是總有因果，同事不會無端聯手排斥嘲笑你，你有沒有嘗試過拆解？到處楊梅一樣花，想要改變別人先要改變自己，你怎會天真到以為只要轉換新工作環境，你在這裏遇到的種種問題就會隨之消失咁神奇？

各個職位都值得尊重

恕我直言，這位讀者是一個很高傲又自我中心的人，新人新豬肉，你有幾高級又如何，你都需要重新適應學習，泊碼頭和同事建立友好的合作關係是常識吧？如果你認為這樣要低聲下氣，或者認為對方是低級職員你不需要這樣做的話，就是你這個人很有問題。想知一個人的人格，看他如何對階級比他低的，出身比他寒微的人就知道。莫講對方是普通文職好歹算是個白領，即使是最基層藍領職位清潔倒垃圾，一樣值得得到所有人的尊重。這位讀者既是個專業人員，讀過書理應知書識禮，其上司要是以同樣目光看待，同樣態度對待他，肯定又是欺凌了，是不是？

我明白人言可畏，被蜚短流長在背後俾人議論紛紛真的很難受。如果這位讀者真的是一個高手，認定自己不招人妒是庸才，同事講什麼你都不必理會。只要交出來的功課做出來的業績夠彪炳，同事下屬們巴結你還來不及，何須忍氣吞聲，還要忍無可忍去辭職？既然離職了，就趁這段空檔時間好好檢討檢視查找不足，記住人必自侮而後人侮之，人必自重而後人重之。

5.4 迷途小羔羊

想搵工，無目標，應該點好？

我有一位讀者，大學畢業後誤打誤撞去了一間中小企做顧客服務（CS）。幾年過後，他對每日工作有厭倦，加上人工方面未如心中所想，萌生了轉工念頭。嘗試過去不同的求職網站尋找新工作，但發現自己未有目標，十分懊惱。他心目中只知道，新工一定要有理想中的人工和是在大公司工作。

想轉工卻沒方向

這位讀者明明是個年青人理應朝氣勃勃，但完全了無生氣，答得我情緒一樣低落。想加人工很正常，打工仔有誰不想？他對工作如此厭倦，交的頂多只能是行貨，要不是請人艱難，得罪講句他不能做到有所不滿想轉工，而是被迫一定要去搵新工。

想要有理想的人工，就要展示出自己的價值及能力。別以為找份新工作重新開始，就可以得到更好的人工及未來，既simple又naive！試問一個畢業了幾年的新人，做一份完全沒有經驗的新工作，可以有幾大的議價能力及空間？憑什麼可以要求對方給你理想中的人工？你找工作只看人工的高低的話，CEO年薪幾百萬，人工夠理想，很想要吧？給你做你做得來嗎？

態度很重要

你想在大公司做，是以為公司大機會自然會比小公司多是吧？實情是，人多競爭大，成績不夠標青表現不是頂尖的話，機會恐怕還是不會屬於你。

興趣需要發掘，能力需要磨練，經驗需要累積，打工最需要的是積極！想要提升人工，就必須要先提升自己；想要有挑戰性的工作，就要有勇氣接受挑戰。否則全部得個講字，沒有付諸行動，只是不斷發白日夢。那夢境，是永遠不會成真的。

打工十幾年的迷路人

有些後生不上進，有些打工十幾年的，同樣可以突然有一天迷路。

我的讀者來信是這樣的：

「我是一個工作了十幾年的迷路人。大約一年前我被開除之後一直努力找工作，但未能在一間公司做得長。最近一份全職工作，在電話裡接受offer之前，HR講明頭兩天的training是無薪的。可是我做了一天，已經發現這間公司有不少問題，多到數不清楚！結果我做了四天便離職，我只獲第三四天的薪金，僱主態度非常強硬，我唯有告上小額薪酬索償仲裁處，如果不幸輸了，還有可能支付堂費和訟費，但願可以追討我頭兩天的血汗錢。這一年多我幾乎已經花光儲蓄，我真是無計可施，都有嘗試找兼職，但都不成功。不停的面試都讓我想回以前的工作，我很厭倦再經常說回我的工作挫敗。我不說真話，因為沒有公司會接受一個被辭的員工，好像一場惡夢。」

不逃避 重整旗鼓

那間公司擺明縮骨是事實，但恕我得罪講句，對方先小人後君子開宗明義講明training無薪，如果覺得不公認為不可接受，直接拒絕就得。明知故犯然後理所當然把所有賬算在公司頭上，讀者為何認為自己一點責任都沒有？

這位讀者不是被惡夢纏繞，所以頭頭碰着黑。是不願走出自己的惡夢，所以走不出自製的黑暗死胡同。失敗挫敗誰沒有？每個挫敗，都是審視自己不足的機會，吸取教訓，令自己變得更成熟更堅更強，更有信心能力面對未來必定更多的挑戰。

我不知道那兩日人工究竟有多少又有幾血汗，我只知道為追討會浪費了很多精神時間，令自己更加憤世嫉俗心煩意亂。就算能成功追討，我敢講絕對得不償失。這位讀者不斷逃避面對的一切，必定會以更強的姿態回歸繼續攻擊著他。要改變未來，首先要改變心態，重整旗鼓重拾自信重新開始，必定會有轉機。

初生之犢

今時今日，要請個正正常常的職場新鮮人確實不容易。不要以為初入職場的牛犢至少不會像old seafood般已經變了老油條，以為他們至少會帶著幹勁，希望在職場幹點封功偉蹟，但原來面試已可激到老闆嘔到一地血。

基本要尊重

在求職指南資訊泛濫的今日，靠打天才波認為面試講來講去其實是角色扮演的求職者竟然越來越多。反觀當年我們揾工，學校無教書又無教，只能靠撞板自己摸索，雖然誠惶誠恐驚餐死，但個個都認真準備，從反省自省中學習。其實做足準備去見工，除了是最基本的尊重，還是難能可貴的實習經驗。

今時今日的求職者，莫講遲到，面試即使No show是家常便飯，還要電話通知都無一個。即使有到的，就連一些最基本明知的僱主

HR亦必定會問的，例如「介紹一下自己、點解對份工有興趣、對公司背景對行業有什麼認識、想要幾多錢人工」等等，都不肯認真準備一下，求其敷衍亂答一通，根本不是有心想要份工做的是吧？既然如此，何必浪費大家時間？講開再講，很多求職者覺得最難於應付的是面試尾聲被Interviewer問「有無問題問」，其實根本最容易。整個面試過程中不可能沒有不明白的地方吧？怕緊張會唔記得，就帶定紙筆記下來，最後就自然大派用場，點會慌失失？

講到角色扮演，原來好戲之人確實有，證明不少年青人對演藝界有非常極之濃厚的興趣及潛質。最近有是僱主亦有是HR的朋友不約而同向我大呻請錯人，我奇怪怎麼可能會失手？Management Trainees不是過五關斬六將精挑細選過才請的嗎？過程表現的確是出類拔萃很標青，但獲聘入職之後，表現強差人意判若兩人。問當事人何解表現會有如此大的落差？答案竟然是「無乜野心無諗住升職唔想咁辛苦」，應不應該欣賞他夠坦白？為了得到份工，所以痛下苦功，既然經已到手，坐定粒六就馬上放輕鬆，死未？

再講，面試只是見工的一部份，要「見」的還有很多，對決定這份工做得過很有幫助。看門口接待員或者負責接待的同事的面口，觀察留意辦公室內工作的人的面容態度，感受一下氣氛和氣場，是木口木面還是有講有笑，是興致勃勃還是死氣沉沉，心中大概有數了吧？上班 dress code 怎麼穿，不用問都該知了吧？

年青人大多很怕和老臣子打交道，總是以為很長氣很煩很難溝通。其實這些老臣子對公司歷史人脈上下一切都瞭如指掌，能得他們提點一下，可以走少很多冤枉路。這些老臣子大都是紅褲子出身，沒有受過高等教育，所以有高學歷的新入職會白恃學歷高看他們不起。不是食鹽多過你食米有什麼了不起，但紙上談兵永遠及不上從實戰中累積的經驗實用又寶貴。正反面的教材都是難得的教材，當中都有我們借鏡學習參考的地方。講到底，一切建基於尊重，禮多人不怪，尤其對老人家，客氣禮貌很應該。總之滿招損謙受益就是啦！

5.6 國情

中港兩地的職場準則從來不同，內地的職場潛規則更加是沒標準可言。到內地辦事，大家真的要小心拿捏。

我的讀者的怪事如下：

> 「最近我被委派到國內分公司，替代離職的舊上司職位。雖然是升職，但其實要回國內工作我不是很情願，但為了前途這是個不能拒絕的Offer。我以為自己做好思想準備，到埗之後才知道我太天真，一言難盡，總之萬事起頭難是啦！但有一事令我非常懊惱，十分需要你指點。話說負責清潔茶水的大嬸，交來由她負責購買的部門每月清潔用品開銷單據，交會計部claim錢之前，要有我的簽名批核作實。不看由自可一看嚇一跳，我部門總共男女加埋只有十幾人，有什麼可能每月使用廁紙二百條、抹手紙幾十箱？林林總總各色飲料，我根本從未在pantry見過。我隨口問她一句，她霸氣回我說之前老總從未過問，反正是公家的錢，要簽個名就得了！」

國內的「準則」，和我們香港人很不一樣，大家應該見識過不少了吧？他們視為理所當然的不抽白抽的「油水」包括但不止於收紅包回佣，在香港監都有得坐（以前的廉政公署肯定是，除非現在不是！）我建議這位讀者應該先去查查這位霸氣大嬸以往的申報單據，如果一向如此，前老總們真的照批，這位讀者無謂多事節外生枝，瞇埋

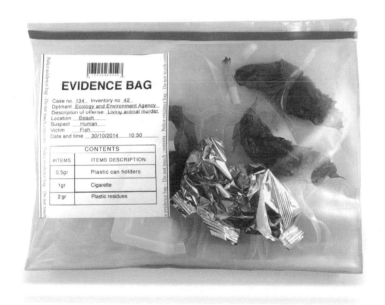

眼簽了就算！但也應該溫馨提示她，這個數目是你部門每個月預算的極限，要她好自為之不要得寸進尺。

若果發覺她老作大自己，拿着證據質問她，定要她知道你不是糊塗好欺負！

第6章

職場移動
學問

良禽擇木而棲，在一份工待久了，總有好多原因令自己想變，想轉個好一些的「地盤」也是人之常情。怎樣知道自己係咪時辰到要起身？點搵工？點見工？點辭職？點跳槽？我年中都收到不少讀者求助，職場移動要做得出色大方，真是人生大學問。

6.1 面試

「搵工Interview」我必須在此重點提大家一次，面試不是角色扮演。不管自以為演技如何到家或耍家，正所謂功多藝熟，基本上很難耍得過見人多過食飯的HR。見不成份工並不是壞事，因為有什麼慘得過自以為演技好，好到瞞騙了所有人，迫自己日日角色扮演，做一份完全沒有興趣的工作。

自選面試時間難以接受

見工衣着要端莊，準時出席，是最基本的禮貌應該無需多講了吧？即使找到了工作不打算應約去面試，最低限度應該打個電話通知對方取消，而不是玩失蹤。臨時臨急沒有特別理由通知有事要改時間，換着以前的我會叫那應徵者早唞，如今我順應潮流，打電話通知我都算。但無影無蹤之後突然出現，說順路行過上來面試，真的對不起，自選面試時間我真的接受不到。

另外，面試不是學校考試，有題目可以捉，所以毋須花時間揣測計算，面試官問每個問題背後的動機，應該如何怎樣答才答得中他們想聽的答案。面試的目的只有一個，就是想知道求職者究竟是一個怎麼樣的人，從而衡量該求職者會不會是空缺的合適人選。虛偽令人討厭，真誠打動人心。今時今日公司背景業務前景，只要肯上網查做好準備做足功課，有紋有路有問有答有禮貌，即使面試不成，都留下好印象。

離職無謂太誠實

「Exit Interview」馬雲講得好，員工的離職原因林林總總，只有兩點最真實：錢，沒給到位；心，委屈了。歸根究底 就「幹得不爽」！基於這兩個大前提底下，公司也好老闆也好扮民主，要HR為每個離職員工做exit interview，作用何在？公司真的願意聆聽員工心聲感受，真心可以接受

意見批評的話，員工就不會需要等到離職才有機會講。如果從來有興趣聽，搞場大龍鳳浪費所有人的時間資源根本毫無意義，不如放過大家算了吧！

不過總有員工戇居到以為趁機會盡數心中種種不滿，大吐苦水怨屈抑鬱，投訴的數臭的不管是公司老闆上司同事或下屬，都是極其幼稚的行為。有什麼蠢得過自己擺自己上枰，然後被所有人隨便攞去用？因為所講的說話全部被HR記錄在案，成為老闆或者仇家對頭人他日用來利用攻擊，秋後算帳的籌碼。

曾經有位讀者問過我，公司exit interview questionnaire入面竟然有要求填上新公司名稱、職位、人工，問我是否「常情」？我答不只不是常情，是簡直超乎常理不合情，睬佢都傻。離職不一定因為搵到新工，做得唔開心回家瞓覺休息難道不成嗎？我的讀者很可愛，告訴我他填寫新工作的人工是十萬！

所以記住心平氣和笑笑口，開心快樂心涼地講幾句門面話，世界很細小，一笑泯恩仇。

6.2 搵工前中後

公司向來手緊手鬆，員工應該心中有個譜，孤寒僱主繼續孤寒是最正常不過的事。偏心的情緒化的上司或老闆只憑感覺以個人喜惡看心情做決定，話之你幾賣力又幾有實力都無用，亦是一早就該清楚的事。如果不能接受應該一早搵工盡快走，何必等候明知不會滿意的結果？然後年復年堅持接受繼續抱怨埋怨四周圍吐苦水？

自我審視

如果加薪及花紅幅度和以前作風大不相同，又與自己的估計有很大距離的話，應該先心平氣和向上司老板問清楚原因，然後再做去留的決定未遲，不要自亂陣腳。我們要做自己的真正老闆，如何部署要走要留，決定權永遠在自己手中。沒有人比自己更清楚自己的需要，不必理會其他人怎看怎講，更加不需要和任何人解釋。

如果決定要走，就要先自省審視目前這一份工作，自己做得好及不好、喜歡及不喜歡的地方。客觀分析究竟是工作工種本身、還是與

同事之間的相處、與上司老闆之間有分歧出的問題。抑或是，全部都有問題？如果不能夠找出問題的源頭正視，修改修正找出解決方法的話，即使搵了新工，問題依然存在，之前的所有情況一樣會繼續發生，結果成為搵工走馬燈事小，工作令日子過得辛苦又痛苦事大。

講出來好像很玄，但的確人夾人緣。沒有完美的老闆亦沒有完美的員工，只有永遠的「存在」價值。

搵工是私事

不管因為什麼理由要搵工也好，要是沒有經濟負擔瀟灑灑脫得起的話，當然不妨跟潮流裸辭，放假攤吓一下慢慢再搵工未遲。否則的話，緊記保持低調。工未搵到四處張揚露口風，其實不是存心想走，只是希望話事人收到風會議做主動出手留人。口口聲聲話要走，結果還不是死死氣留低繼續做，狼來了的故事，大家應該耳熟能詳。不過最戇居的，莫過於以為可以兇老闆，作為爭取想要的不管是升職還是加薪的談判籌碼。即使爭取成功，被逼妥協老闆條氣不會順，做了極壞的示範榜樣，始終難有好結局。

要在辦公時間內去見新工的話，臨急臨忙趕頭趕命去見工肯定會影響表現，又要不斷講大話，身體突然很不適家裏突然有急事，同事老闆都不傻，騙得了誰？值得賠上自己的誠信嗎？不如乾脆直接申請一日或者半日假好好準備應付。世界很細小，行業圈子更加小，好事不出門，醜事傳千里，出師未捷身先死，算這種。

其實搵工是很私人的事，不必四周圍和朋友討論收風，職場如戰場，是敵是友要到出了事之後才知道。我有專程北上見最後一關的candidate，為免飛機會有延誤，專登早一日到，約了之前的舊下屬晚飯吹水，以為十拿九穩無問題，大家分屬好友毋需隱瞞，笑談間透露了此行的目的。那舊下屬來一個毛遂自薦，結果大意失荊州，把囊中物拱手相讓，他被蒙在鼓裏還把賬算在我頭上，我幾乎為此蒙上不白之冤。

最後一點，就是記住不能三心兩意，立場要堅定，方向要清晰。盲頭烏蠅及清兵的下場，毋須我多講了吧？搵到新工，不是一了百了，是另一個新挑戰的開始。

走得瀟灑

搵到新工後的第一個新挑戰是，辭職！作為一個資深獵頭人，親身經歷鐵證如山。事實是明明經已不舒適的舒適圈，否則不會死心去搵工，但偏偏理智克服不了恐懼逃避的心魔，硬要迫自己陷入兩難的局面，結果搞到一團糟。

如果老闆上司真正賞識重用，何解等到要辭職的時候才空群而出挽留？那個一早值得擁有的職級薪級，何解要等到辭職有新工新 offer 的時候才突然慷慨？不是不可以改變主意，而是當初決定要走的人和事依然存在的話，留下來的話面對只能是相同的困境局面，除了注定重蹈覆轍，還有其他可能嗎？根據我這個資深獵頭人這些年來所見所聞，改變主意的人不少，但留下來之後能善終的，沒有幾個。講到底，會重用相信一個曾經有離心的員工的老闆，能有幾個？

START

動物份工室

堅定決心要走，走得瀟灑≠不負責任，即使和老闆上司同事相處得幾不愉快，不管是自己掏腰包或是新公司願意出錢賠通知金即時走人，都是絕不可取之策，不能做衰自己個朵。新公司很急很等人用，但求職者一樣有權堅持有交帶有首尾，盡責任做好交接。如果新公司說不能等，要不馬上上班要不拉倒，這份工不要也罷。因為要的只求快求就手，而不是因為你最好最適合。被埋沒被看扁，搵到新工意氣風發拍枱起身，以為好型可以出一口氣？膚淺之極！真正雪前恥的最佳報復是爭氣，不是鬥氣。拿出真本事在新工作崗位發光發熱擦亮所有人眼睛，有甚麼比以失去你來對舊公司作最大的懲罰更心涼？

每一次轉工，都是審視改善令自己進步的寶貴機會，誰是誰非也好，事過境遷，放下是放過自己，專心專注做好新工作最實際。

6.3 轉工

轉工好？唔轉工好？諗極諗唔明？其實我認為，係咪時候走最清楚的只有你自己，去到某些臨界點，你便會有搵工的動力，若然你天天發牢騷，卻仍然不知是走好還是不走好，則可能要走的時晨真的還未到。走好？唔走好？其實你心裡一早知道！

大家先看看我的讀者的個案：

「我在大公司裡做IT十年，工作時間長，覺得難以升職。可能太長的年資反而累事，其他大公司或MNC相若的senior或team lead空缺不多，所需經驗大概5年，又未上到管理位置。現在反而fintech有offer給我做product manager，介乎biz&IT之間。問題1. 將來想回大公司又要碌過？2. fintech在香港尚未成熟，經驗有認受性嗎？3. 由hands on IT轉型去Biz side，是否必經階段？4. 細公司歷史少，網上甚少資料，怎知會不會中伏？5. 我還應考慮其他因素嗎？小朋友就快升小學，希望趁機會在事業上亦有轉機。」

先改變思維心態

這位讀者的問題，我第一時間想起的，是一間歷史悠久的大銀行出了一個未來人才勢力需求的報告，6個所謂出乎意料的新職位，全部和IT有關，但諷刺的是，在直認數碼科技的人才持續短缺的情況下，銀行不斷整頓收縮IT部裁減人手。

如果這位讀者真心想改變，不單是維持目前的工作及現狀，還有顧及日後的事業發展的話，就要有勇氣面對現實，先改變思維心態，才有機會改變將來。

難以升職與他年資太長有關係，是大公司太多山頭分工機械化。想升職，首先要問一問自己，10年來為自己的工作及崗位添加創造了幾多新價值。我不懷疑他是盡忠職守做好本分，所以可以保得住份工，但並不是一個出色的員工。如果他有信心有技能，手上就有敲門的籌碼，何須等報紙登的職位空缺招聘？直接搵對方管理層傾得，搵個相熟的獵頭幫其問路亦得，只要知道自己有什麼賣點就得。

轉變需要膽識眼界遠見，轉工必定會有風險，即使繼續留低在這間大公司繼續做，亦沒有誰可以保證做得幾耐，對不對？他問的幾條

問題，其實是在說服自己，他是留戀根本不舒適但認為安穩的舒適圈，缺乏信心勇氣跳出去作新嘗試。如果拋不開大公司這個除了令自己感覺良好，完全沒有光芒的光環，明知公司細，新公司當然無歷史，當初為什麼肯去見工？

為留下找藉口

Fintech金融科技是大勢所趨，有機會快人一步投身學習，他又怕經驗無認受性，哪究竟想點？打個譬如，即使參加旅行團，交了團費都不能保證一定出發。不過識得先買旅遊保險，即使天氣不似預期旅行團被迫取消，都會得到保障。講到中伏，求職者會揀錯工，僱主一樣會請錯人，中伏機會其實相向亦相等。

他對目前的工作有不滿亦沒有什麼滿足感是事實，但根本不是真心想走，因為情況並未差到迫到他一定要走的地埗。他不停去見工，然後不停和自己辯論，工作已經夠辛苦，照顧子女家庭苦上加苦，何必花時間精神去見一些根本不會accept的工，搞到自己心大心細兩頭唔到岸咁為難？

自己條數自己計，只是前路，並不是計數能夠計得出來的。我做決定從來快夾狠，因為從來只問心不用腦，食得鹹魚抵得渴，沒有準不準，只有想不想，還有甘心不甘心。

6.4 新工

新工作很多人很多事要適應，你亦要證明自己的存在價值，不易應付，因此我也收過不少讀者關於這方面的問題，以下的情況，你又試過沒有？

「最近我獲得了一間細公司聘請。但由於不是經常轉工，遇到些疑難：

1. 聘請我的合約上寫的並不是原來的公司而是另一間公司，請問這有問題嗎？我問過HR，他說所有人都under這間公司聘請。

2. 新公司職位算是中層，但離職只是七日通知，對我這種在大公司做的人，就覺得很奇怪和無保障。

3. 新公司HR說暫時未有沒有醫療保險，將來會有，但不會在合約白紙黑字寫。

4. 由於無醫療無保險，我有想過要求人工補貼，由於面試時不知道無，我亦無問，故要想辦法提及。我想正式簽約前講，抑或提議試用期後有補貼，你認為邊個方法好？

其實面試時我認為上司是爽快的人，請我也是即場通知，只是我轉工經驗少，希望Son姐指點。」

即使這位讀者沒有開宗明義，從其提問可知他是個做開大公司安分守己的員工。我的解答如下：

1）其實即使大公司都會有以其他附屬公司的名義聘請員工的情況出現。用哪一間公司名義聘請不是大問題，不過人事部沒有事先解釋講清楚，要問才講，實屬不當不該。以後再有機會要和人事部交流交手，一定要打醒十二分精神，千萬不能掉以輕心，HR講什麼都一定要搞清楚問清楚才好信。

2）中層管理員工七日通知可以走，的確少見。不過家家有求你未必蝕底。我相信這間公司以前有不少請錯人的經驗，七日通知是為了減少炒人賠錢的成本。究竟是他們有眼無珠或者求其是但亂請人，抑或請完之後不懂得用人，答案好快就會知。要是發覺不對勁，要走頂多捱多七日，未嘗不是一件好事。講開又講，合則來不合則去，今時今日的職場是最平常不過的事。七日通知還是一個月通知，自己想走也好被公司請走也好，都希望速戰速決是不是？

3）現行勞工法例沒有規定公司必須為員工提供醫療保險，只需要有最基本的勞保就可以。你問HR幾時會有，他都只不過是按老闆意思辦事，當然不可能在合約上寫明什麼時候開始會有。當然這個答

案有可能是敷衍你，公司根本不打算提供，或者想先看你工作表現如何做得幾長公司再作定奪未遲。

4）既然醫療保險並不是勞工法例規定，公司即是老闆絕對有權唔俾，正式簽約前後或者什麼時候，你都沒有理據依據及條件，為此向公司爭取任何形式的補貼。HR本身亦是員工，醫療福利所有員工都想要，如果老闆願意提供，為人為己，都必定盡快辦妥。我是你的話我就免傷和氣不會嘥氣多講。

綜合以上你的四個問題，這位讀者是個非常老實的老實人。但做事看人都太過簡單化，我不是希望烏鴉口他的新工，不過我肯定他會非常之難適應。他說面試上司爽快即場決定請，我覺得是他等人用求其就手，多過覺得這位讀者是個不可或缺難得一遇的人才。人事部處理的合約的態度手法極其粗疏，要用另一間公司名義聘請公司有什麼福利應該一早主動解釋清楚，不可能沒有問就不會講，問了亦不置可否。見微知著，什麼樣的老闆用什麼樣的員工，怎樣做事的老闆就用怎樣做事的員工，再看公司的通知期及所有的福利，對這份新工能有幾多期望心中必須有數。

總括來說，我覺得這間新公司的policy既短視又mean。

6.5. 上位

大家做工作做得一段時間，想上位是正常的。問題是，要上位，are you ready？還是如我以下這位讀者般思緒雜亂？

> 「Son姐你好，有疑難想請教你：我做了6年初級員工後升上了管理層2年，但我只是one man band，沒有任何supervisory 的經驗。公司不重視我的工作，位置被放得好低，不會開位給我升職，不會為我聘請下屬。我希望跳槽做assistant manager，為將來做manager鋪路，請問我如何說服其他公司的HR，我能夠勝任帶領下屬的工作？如何跳槽升上更高職位？有朋友曾建議我報讀人事管理的相關學位課程，不過我無錢，而且我已讀了兩個學位，所以我不會考慮讀學位的方法。」

忍足八年必有因

這位讀者滿腔怒氣，認為自己鬱鬱不得志很勞氣，這樣根本於事無補。不被重視、被放在一個不起眼的崗位，有志難舒沒有前途沒有出路，照計他一早應該疊埋心水另謀出路才是，但他足足忍了八

年，究竟所謂何事？如果真要問責算賬，應該問誰的責？這筆賬應該算在誰的頭上？

在文憑職級同樣量化寬鬆的今日，title職級代表不了職能的高低。Degree如果有用，個個鬥讀鬥多學位不就得了？何必如此辛苦勤勞工作累積經驗是不是？靜下心來退一步，審視一下自己的形勢吧！他認為自己處於極不有利的地位情況？我認為他處於極之有利的地位情況！

機會留給敢想敢做的人

One man band顧名思義一腳踢，上上下下裏裏外外全部一個人包辦，點只好打得咁簡單？沒有管理經驗？能夠管理好自己就是一個非常難能可貴的管理經驗。所有管理層無論今日幾高級，當日都只能是新人，起跑線其實一樣。如果他是公司不可或缺的一員，會不會敢不重視他？如果自己真材實料好本領，此地不留人自有留人處。往績就是能力的最佳證明，照直講就是，還需擔心有沒有說服力？

生氣不如爭氣，前路是闖出來的。機會，是留給敢想敢做的人的。

6.6. 去留

每去到年尾埋單計數時，年年一樣收到很多的讀者提問，非對工作不滿的各樣種種問題莫屬。其實所有不滿的源頭，都是對人不對事，所以幾時都話職場中行走，識做事不如識做人。不過投訴還投訴埋怨還埋怨，結果都是選擇忍無可忍重新再忍，有勇氣決心作出改變的確沒有幾多。雖然工作只是人生的一部份，但就影響人生大部份，因小失大，是可忍孰不可忍。

檢視自身職場狀況 8 問

工作如意不如意，很多人以為和人工高低掛鈎，事實上日復日逼自己做根本討厭完全沒有樂趣滿足感可言的工作，和坐監有什麼兩樣？不肯為理想人工放棄自由去坐監，為什麼甘願放棄無價人生去做一份有價的工作？如果你有以下症狀，不要再問我什麼時候轉工好，問自己就好，

因為後果只能自付。我只能提醒大家，一旦成為舊傢俬了，被投閒置散慣了，逆來順受成為習慣了，鬥志尊嚴都不知為何物了，你就從此玩完了！

1.　　　早上完全沒有辦法令自己起床上班
2.　　　每個星期一都有病必須要請病假
3.　　　日日發夢期待最好今日是星期五
4.　　　明明不是有病但渾身上下酸痛提不起勁慘過有病
5.　　　公司上下沒有一個好東西，老闆賤上司廢同事衰
6.　　　事無大小不管做什麼都力不從心做甚麼都總是錯
7.　　　生活中的話題全部圍繞公司上下各人的不濟不是
8.　　　帶着憤怒上班去堅持和所有人事過不去包括自己

別簡單複雜化

愛因斯坦說：「全天下最愚蠢的事就是，每天不斷地重複做相同的事，卻期待有一天會出現不同的結果。」、「一個人的價值，在於他貢獻了什麼，而不在於他能得到什麼。」

不要把簡單的事情複雜化，要不走，要不留，廢話少講。完！

6.7. 跳槽

幾十歲中佬才考慮跳槽,需要考慮周詳。

> 「我喺公司做維修經已做咗十幾年,底薪加OT都有坐底三萬一個
> 月。近呢幾年我哋呢啲工種出邊都好渴市,最近有人投資開咗間新
> 公司,仲搵咗我地公司啲人,我知我都幾受歡迎,嗰邊搵人探過我
> 口風,但我想過咗年出埋花紅先。請問我應如何開價?其實我而家
> 工作都幾愉快,本來諗住喺度做到退休,而家幾十歲人先跳槽去第
> 二間公司,值博率高唔高呢?」

值博率要自己計

這位讀者問我值博率高不高,坦白講,這是一個沒有人能給他答案
的問題,因為這條數只有他自己一個人識計。一切只看自己的心態
及取態。不過畢竟他不是18、22的年青人,跳錯槽大不了再跳過
那麼簡單,有一個他要考慮的重點,是兩間公司的業務前景及穩定

性，管理層的作風，當然還有同事的質素。這些都不是人工高能夠解決補救得來的關鍵性問題，要冷靜好好分析想清楚。

想安逸還是憑幹勁？

如果這位讀者要的是安穩，如他所言目前工作一切上了軌道駕輕就熟，又做得開心，疊埋心水做到退休是很好的選擇。是什麼誘因令到他對那份新工作感興趣？我相信是為了得到高一點的人工，所以才問我應如何開價對嗎？他肯定知道世上沒有免費午餐，人工要得幾高就知必定要付出更多。他年紀不輕，心中是否還有那團火及那份衝勁，從頭開始重新投入新工作再砌過？但這極可能是他職涯中最後一個跳槽機會，錯失了會不會後悔？

這位讀者不妨先表明等埋花紅出年才考慮跳槽，觀乎對方的反應，就知究竟有幾想請到自己。至於人工加幅，我不清楚他們行頭，就一般跳槽而言，沒有兩成或以上的話，說不上吸引。只要小心行事，先試試水溫，不妨！

6.8 回頭草

好馬不吃回頭草，這句話今時今日已經未必 work。如果那棵草鮮嫩無比，一吃何妨，只怕你沒有這斤兩吃得回！

新鮮人的疑問

「我畢業之後到了一間中小企工作，大約做了一個月收到政府合約制 offer，工作性質相近。當時認為政府工人工較高工作時間亦穩定。最少可有一年工作保障。但做了一個月就發覺同預期有很大出入，工作和上司都好 hea，又學唔到嘢，怕會愈做愈頹。我寧願揀有嘢學有成功感，都唔想 hea 返工，所以打算離開政府工。而家諗返轉頭後悔辭去之前工作，猶豫應唔應該食回頭草。舊公司工作氣氛、上司各方面都很好，願意教我。但我有以下的顧慮：

1) 之前公司只是做了一個月 2) 辭職時上司同老闆都有挽留，但我沒有提及有政府 offer，只是說覺得自己未有能力 handle 工作 3) 要是決定食回頭草的話，如果說自己一時衝動（因為老闆知我家庭有問

題），而家諗清楚知道好鍾意份工，同埋好想係呢個行業繼續發展，今後一定會全力向目標努力，咁講是否可行？ 4) 應該跟supervisor還是老闆講？」

想法過份理想

年青人初出茅廬，對很多事情都難免會過分樂觀理想或天真，最緊要的是經一事要長一智，同一錯誤絕對不能犯兩次。大家更加要學識凡事不能只單方面從自己角度出發衡量思考，要為自己做的每一個決定負責任。

這位年青人一心想要的只是一份以為很穩定有保障的工作，明知只是合約不是長工也依然選擇了做政府工。做了不到一個月這位年青人就投訴埋怨，但其實他求仁得仁應該高興才是。新工作情況不似預期，職場中常見，他不是想辦法克服，第一時間想的竟然是吃回頭草？講到底他都只是一個極新鮮的職場人，莫講學做事學做人都有排學，不管做的是什麼工作都不可能沒有嘢學！三心兩意逃避現實，不管是人生抑或職場，都是大忌！

講來講去想吃回頭草從頭到尾都只是這位讀者自己的自言自語一廂情願，我要提醒他不是每個後悔都可以有補救的機會，以後做事做人都不能輕率魯莽。否則即使真的能吃到回頭草，都真不知道究竟是好是壞。

誠實是良藥

若我是她，honesty is the best policy，直接了當表明心跡說自己悔不當初，懇請給予一個回頭的機會。只有坦白真誠才能打動人，花言巧語諸多藉口，只會令人討厭。

既然辭職時上司老闆都有挽留，證明他短短一個月來的表現還算不錯。坦白承認當日的離開，是一個沒頭沒腦非常錯誤的選擇，不要長篇大論企圖掩飾，記住越描越黑，講多錯多。

這位讀者不要想到是自己決定食回頭草，而是很希望公司能給予機會回頭，這一點他必須先搞清楚，能不能成事還要看老闆願不願意再給他一個機會，切記一定要謙卑加誠懇。實在忍不住要說幾句，這位讀者真正身在福中不知福，才做了那麼短的時間，老闆已經知道他的家庭有問題，證明他遇上一個會關心員工的老闆，可知道今時今日能夠找到一個有心的老闆是多麼的不容易？

應該直接找老闆還是上司？我不知道他公司的規模人事架構，我相信他應該知道吧？直接找老闆會不會令上司不高興？要小心處理，否則一個唔覺意得失了上司，一旦有了芥蒂，即使能夠回頭恐怕亦難做得長久。他和舊同事們的關係如何？有沒有保持聯絡？無論如何，先打個電話寒暄打聽一下公司狀況，是否還有空缺請人等等，對情況多一點掌握心中有數之後再行動，勝算自然會高很多。

無論結果如何，做人，幾時都應該往前走向前望！

職場戇直中年疑問

「我兩年前離開一份合約工，工作不算忙碌略感沉悶，與同事關係不俗，準時放工，離家不遠，方便照顧子女，待遇也大致滿意。可是，畢竟是合約工，常感到被人看不起。期間因不甘被舊老板調往遠離市區的辦事處，心中很不是味兒更根本沒事可幹。我努力搵工，終於覓得我夢寐以求的職位，以為各方面條件都好少少，可為家庭增值。怎料轉工後才知原來是惡夢，懊悔不已。這兩年工作一直尋尋覓覓，目前一樣是合約工，交通遠了，薪酬少了，但與同事關係融洽。最近知道我的舊職位正招聘，而且不用在偏遠辦事處工

作，我心蠢蠢欲動，很想申請，但又怕重返後會被人看不起，感到尷尬。應不應該自己找回頭草吃？請指教。謝謝。」

面子還是工作緊要？

其實這位讀者一直尋尋覓覓，換來慘慘戚戚，可知問題所在？人貴自知，工作的意義對每個人亦大有不同，有些人但求安安穩穩平平凡凡度日，不想承受壓力只想有糧出夠生活就得。有些人追名逐利奔奔跑跑營營役役樂此不疲，最緊要搵到錢出人頭地。一切純屬個人選擇，沒有所謂對與錯更沒有旁人置啄的餘地。

這位讀者的理想工作是一份地點就近屋企，不能忙碌但亦不能沉悶，薪酬不俗還要和同事相處融洽做得開心。他之前的那一份工作幾乎完全符合心中要求，所以今日想吃回頭草，是意料之中的事。他就是不肯面對現實，又不肯對自己誠實，明明想返又怕無面子，其實成件事可以很簡單，偏偏要把事情弄複雜。麻煩大家都學習對自己坦白，究竟是面子緊要，還是那份工作緊要？很想要，那就不理其他人怎想怎講一於去馬。受不了，就疊埋心水死心。

辭職

辭職只要辭得有技巧，絕對可以化干戈為玉帛，大家好來好去，不要反面收場。

這位職場新鮮人，接受了一個offer後，再獲得一個更好的offer，心思思想同現公司斬纜，到底應該點做，而不失大體？先看看他怎麼說：

「上月接連面試了好幾份不同的工作，有一間公司很快已經答應聘用我，並且當天已經簽約。但到今天第一天去工作的時候，我接到電話，另一個我較有興趣的行業有間公司聘請我，並且想我下個月上班。我不知怎樣開口跟現職的公司說，因為他們對我印象都很好，對我亦有點期望，開始教我接手不同的工作，而且他們要求辭職要有7天通知期。Son姐，你覺得我應該給7天的通知期，還是最後一天賠代通知金了事會比較好？因為我很新，7天的通知期他們不能安排我工作，亦不能教我東西，我又會覺得很尷尬。而且，我面試

時說過會長期發展的，現在違背當初自己的說法有點不好意思，很難開口對他們說轉行，我應該如實直說，還是編一個較好的理由比較好？」

不要自己賠錢走

如果你是這位新鮮人，你點做？

首先，千萬不要到最後一天以賠錢了事走，這是最不負責任的行為，完全破壞了雙方的關係，不要在自己的信譽和career路上留污點。Honesty 幾時都是 the best policy！

這個突如其來的機會不是你事前能夠預計得到的，不必自責。至於做一個禮拜可能幫不了多少，越是怕尷尬越要盡早表白，盡早通知負責人你要走，需不需要你留低，應該跟合約要求交由公司決定。不過填補空缺需要時間，為表歉意及善意，既然新工作遲些才需要上班，新鮮人可以主動提出做多一段時間。

雖然我教大家要坦白，但絕對不必長篇大論解釋來龍去脈前因後果，千萬不能拿兩份工作比較，更加不能說那一份工作你興趣更多。你沒有責任交代新工作是什麼，世界很細小，山水有相逢，總之記住沉默是金，講多錯多只會越描越黑反而累事。

拖花紅這餿主意

關關難過關關過，每年年尾又到了打工仔埋單計數算花紅的時候。明明應該12月底或者一月出的花紅，很多僱主包括大企業，為了避免員工收到花紅之後轉頭交出大信封，把出花紅的日子不斷延後滯後。不知是誰想出來的餿主意，有企業把年終分紅分期分段拖足三年，員工才有機會收得齊。成功令員工死心，疊埋心水壯士斷臂頭也不回跳槽去。

雖然條氣唔順是事實，亦無必要為一間完全不值得的公司老闆賤賣努力及賣命，要走沒有什麼可惜可言。但幾時走如何走，不應該挑戰自己底線極限，直到忍無可忍的時候反面反枱劈炮。意氣用事發脾氣，於事有補嗎？損的除了是自己，還可能有其他人嗎？損人三百自損三千，賠了夫人又折兵。一時衝動火遮眼，講錯說話做錯決定，付出的代價可以很大。一時衝動辭職，心思思想盡辦法吃回頭草的個案我見得太多，問我意見我都只答何必當初。

不要盛怒下作決定

人在職場要謹記，越是位高權重的，越是小氣更記仇，甚麼年紀性別都一樣。題外話，即使當年兄弟班一齊打天下的又如何？今非昔比如今身價階級不同了，老闆員工上司下屬，庄閒一定要分得清，公私更加要分明，否則下場注定慘烈。言歸正傳，所有在盛怒之下作的決定，只能都是錯漏百出甚至一錯再錯的。明明想為自己爭口氣，因為心急但求就手不理好醜，結果出事出醜反被嘲諷奚落，傷上加傷，元氣大傷。

雖然無良老闆賤格上司的確有，但善待員工的好老闆提攜後輩的好上司一樣有。人夾人緣是事實，甲之熊掌乙之砒霜，考慮的重點是

思想原則做事方法方針。如果背道而馳的話,如何勉為其難遷就都不會有好結果,應該及早放棄早走早着。如果工作有前景崗位有學習進步的機會及空間,就不可輕言放棄。

其實工作究竟應不應該辭職,毋須花時間四周圍問人意見,簡單直接問問自己的心就知。我教大家為心靈做問卷,每天早上你是充滿力量能量去上班,還是沮喪埋怨最好不用去上班?你對工作前景有願望希望,還是望天打卦捱得一時得一時?有機會接你上司班做他的位置的話,你是求之不得,還是走夾唔哵?知道答案之後事情就好辦,決定要走就冷靜沉住氣,為自己的前路好好鋪排打算。決定不走,就廢話少講埋頭苦幹。

交接清楚對得起自己

合得來不合則去,好來不如好去,辭職都要辭得好好睇睇,樣樣事情交代交帶清楚,對得起他人,更對得起自己,不要因為孩子氣不成熟,憤怒失理智。不是敢不敢誰怕誰的問題,世界很細小,凡事留一線,日後好相見。難保他朝有日狹路相逢,不要在自己的漫長職途上埋不知道什麼時候會被引爆的炸藥。後路,從不是留給別人,而是留給自己的。

Career 19

動物扮工室

作者	張慧敏
出版經理	呂雪玲
責任編輯	Ada Wong
書籍設計	Kathy Pun
相片提供	Getty Images

出版	天窗出版社有限公司 Enrich Publishing Ltd.
發行	天窗出版社有限公司 Enrich Publishing Ltd.
	九龍觀塘鴻圖道78號17樓A室
電話	(852) 2793 5678
傳真	(852) 2793 5030
網址	www.enrichculture.com
電郵	info@enrichculture.com
出版日期	2019年7月初版

承印	嘉昱有限公司
	九龍新蒲崗大有街26-28號天虹大廈7字樓
紙品供應	興泰行洋紙有限公司

定價	港幣 $128　新台幣 $550
國際書號	978-988-8599-19-6

圖書分類	(1)職場技巧　(2)管理